NADOLiq '97.

LLYFRAU ERAILL YNG NGHYFRES Y CEWRI

CYFRES Y CEWRI 17

FI DAI SY' 'MA

DAI JONES

Gwasg
Gwynedd

Argraffiad Cyntaf — Tachwedd 1997

ISBN 0 86074 142 7

Diolch i Wasg Gomer am ganiatâd
i gynnwys yr englyn 'Cefn Gwlad'
allan o *Sgubo'r Storws*, Dic Jones.

Cyhoeddwyd ac Argraffwyd
gan Wasg Gwynedd, Caernarfon.

I GYMRU FACH
AM FY NERBYN

Cynnwys

Rhagair

Dyn diwyd ydi Dai. Prin fod yr un ffermwr yng Nghymru yn gallu cyflawni mwy rhwng godro a gwely. Mae'n amryddawn fel darlledwr, canwr, arweinydd noson lawen, sgïwr — ('Dai ar y Piste' — dyn doniol hefyd ydi Dai). Ond ei gamp fwyaf, yn fy marn i, ydi cyflwyno Cefn Gwlad.

Dechreuodd y gyfres tuag ugain mlynedd yn ôl yn y cyn-oesoedd — cyn dyfodiad S4C. Roedd gwahanol gyflwynwyr bryd hynny. Ond pan ddaeth y Sianel Gymraeg yn 1982, fe ddechreuais chwilio am gyflwynydd newydd i'r rhaglen — un a'r iaith Gymraeg yn fyrlymus ar ei wefusau, a'i draed yn gadarn yn y pridd.

Beth am y bachgen bochgoch, chwim ei dafod o Lanilar? Galwad ffôn o'r swyddfa yng Nghaerdydd un prynhawn; ac felly, yn syml iawn, y daeth Dai Jones Siôn a Siân yn Dai Jones Cefn Gwlad. Bymtheng mlynedd yn ddiweddarach — dri chant neu ragor o raglenni — yr ydym yn dal i gydweithio.

Dyn dawnus ydi Dai ond rwy'n sicr y bydd yn cytuno pan ddywedaf nad i Dai a finnau mae'r prif glod am lwyddiant y gyfres. Y mae'r diolch yn bennaf i'r holl deuluoedd ac unigolion sydd wedi ein croesawu i'w cartrefi ar hyd y blynyddoedd. Pobl Cefn Gwlad — y werin Gymraeg ar ei gorau, ac 'iaith bereiddia'r ddaear hon' yn loyw ar eu gwefusau. Ein braint yw cael eu hadnabod.

Gwyliwch y rhaglenni, darllenwch y llyfr! Rwy'n sicr y cewch hwyl wrth ddilyn hanes y Cocni Bach a ddaeth yn enw mor gyfarwydd i ni i gyd — Dai Jones Llanilar.

Hydref 1997   GERAINT REES

Y Cocni Bach

Fe'm ganed i yn Ysbyty Brenhinol Hornsey, Llunden ar y deunawfed o Hydref 1943. Mae'n debyg i fi gyrraedd toc ar ôl cinio. Roedd Mam yn leicio'i bwyd.

Mae pobol yn dueddol o edrych arna i fel Cardi rhonc. Ond mae rhan helaeth ohona i'n Gocni. Mae 'ngwreiddiau i'n ddwfn yng Ngheredigion, mae'n wir. Ond rown i'n dair oed yn dod i fyw yng Nghymru.

Cardi oedd Nhad a Chardi yw Mam, hi yn dod o Dal-y-bont a Nhad o Langwrddon, neu o Ledrod i ddechre. Roedd Nhad yn un o ddeg o blant a Mam yn un o dri. Fel cymaint o Gardis y cyfnod fe symudon nhw i Lunden i'r fusnes laeth, ac yn Llunden y cwrddon nhw â'i gilydd.

Fe aeth Nhad i weithio gyda Dickie Davies, Caledonian Road. Ac yn y fan hyn mae un o nifer o gydddigwyddiadau i'w canfod yn fy hanes i. Dickie Davies oedd cyflogwr cynta Nhad yn Llunden tra Ieuan Davies, ei fab, oedd cyfarwyddwr Siôn a Siân pan gychwynnais i gyflwyno'r sioe.

Roedd rhieni Mam, Tad-cu a Mam-gu Tal-y-bont, John a Jane Jones, wedi mynd i Lunden eisoes. Roedd gwaith yn brin iawn yn yr ardal ac i Lunden yr aethon nhw. Ac yno fe gadwon nhw'r traddodiadau Cymraeg yn fyw, yn arbennig bywyd y capel. Fydden nhw byth yn colli oedfa yng nghapel Castle Street, lle'r oedd Walter P. John, bachgen o Bontarddulais, yn weinidog.

Yn rhyfedd iawn, pan fyddai Tad-cu a Mam-gu yn teithio ar y bysus ac yn sgwrsio yn Gymraeg fe fyddai pobol yn credu mai Eidalwyr oedden nhw. Ac ar ben hynny, rhai bach oedden nhw. Un fach yw Mam, ac er bod brodyr fy Nhad i gyd yn bobol fawr, un bach oedd e'. Ac roedd y ddau yn foliog, felly does dim rhyfedd fy mod i'n foliog hefyd.

Mynd i weithio at United Dairies yn Willesden wnaeth Tad-cu i ddechre. Roedd cymaint o hiraeth arno fe am Gymru fe benderfynodd fynd i weithio gyda'r ceffylau yno fel rhyw ffordd o bontio'r pellter, y pellter daearyddol a chymdeithasol. Roedd tua phedwar ugain o geffylau allan ar y rownds llaeth bob dydd. A fan hynny buodd e' bron drwy'i oes.

Roedd Nhad yn un o ddau o'r deg o blant i fynd i Lunden i chwilio am waith. Roedd e'n leicio ychydig o hwyl ac yn barod i fentro. Yn y cyfnod hwnnw fe fyddai pobol oedd â'u gwreiddiau yn yr ardal yn dod lawr o Lunden, adeg y Pasg efallai, ac ar adeg gwyliau eraill, ac yn gweld rhai o fois y ffermydd ac yn teimlo fod eisiau gwas arnyn nhw. Fe wydden nhw fod digon o waith ym mechgyn y wlad ac ar nos Sul yng nghapel Tabor, Llangwrddon y cafodd Dickie Davies hyd i Nhad.

Roedd Nhad wedi meddwl mynd yn bregethwr. Roedd e'n ffrindiau mawr â Trefor Lloyd, Tŷ'r Helyg a aeth i'r weinidogaeth. Roedd y ddau ohonyn nhw yn yr ysgol gyda'i gilydd yn Lledrod ac roedden nhw'n siario'r un diddordebau. Yn fachgen, fe fyddai hyd yn oed yn cofnodi'r pregethau a glywai yn y capel.

Ond i Lunden yr aeth e' i weithio ar y rownd laeth ac yn helpu i lenwi'r poteli. Yno y cyfarfu â Mam ac yn Llunden y ganwyd ni'r plant, y tri ohonon ni. Fe ddes i lawr i'r wlad ar fy ngwyliau, fi a 'mrawd Trefor, pan oeddwn i tua thair oed. Roedd Wncwl Morgan ac Anti Hannah yn ffermio Ty'n Cefen, Llangwrddon ac fe ges i a Trefor y sylw i gyd gan nad oedd plant gyda nhw.

Mae Trefor, gyda llaw, sydd ddwy flynedd yn iau na fi, yn dal i fyw yn Llunden lle mae busnes tacsis ganddo fe. Ac rwy'n cofio'n iawn pan wnes i hedfan am y tro cynta, Trefor yn ffonio a dweud wrtha i, 'Pan fyddi di yn Heathrow, edrycha mas amdana i. Ma' tacsi coch 'da fi.'

Nawr, rown i'n hen gyfarwydd â gweld tacsis duon. Yn wir, rown i wedi meddwl mai rhai duon oedd tacsis i gyd. Ond own i erioed wedi gweld tacsi coch. Pan gyrhaeddais i'r maes awyr roedd miloedd o dacsis coch yno.

Beth bynnag, fe ddes i lawr i'r wlad. Ac yn syml iawn, doeddwn i ddim am fynd nôl. Roedd Wncwl ac Anti wrth eu bodd, wrth gwrs. A dyma nhw'n dweud, os oedden ni am aros, yna fe gawn i a 'mrawd wneud hynny. A chan fod Nhad a Mam mor brysur gyda'r busnes doedd ganddyn nhw ddim gwrthwynebiad. Ac aros wnaethon ni.

Pan fyddwn i yn Llunden fe fyddwn i'n hiraethu am y wlad. Eto i gyd, erbyn i fi gyrraedd tua phymtheg oed, fe fyddwn i wrth fy modd yn mynd yno a chael bod yn y siop ac ar y rownd laeth. Ond ymhen ychydig fe fyddwn i'n hiraethu am arogl y gwair, a hyd yn oed arogl y tail, a fyddwn i ddim yn hir nes byddwn i yn ôl.

Mae gen i ambell atgof da am Lunden o hyd. Rwy'n cofio, er enghraifft, gwraig oedd yn gweithio i Nhad, rhyw Mrs Challis. Roedd gan Mrs Challis ddau ar bymtheg o blant ac yn dâl am weithio fe fyddai hi'n cael y nwyddau o'r siop i gyd am ddim. Dyna fyddai ei chyflog hi. Ac fe fyddai Nhad yn ei helpu hi i gario'r bagiau gorlawn adre bob nos Wener.

Mae gen i gof am blant Mrs Challis i gyd ar ben y *shelter* lleol ar ddiwedd y Rhyfel yn canu 'God Save the King' tra'r fam yn bytheirio arnyn nhw, *'Bugger the King, get inside and wash yourselves.'*

Roedd bywyd yr ardal yn troi o gwmpas y siop. Rwy'n cofio cyfeiriad swyddogol y lle hyd heddiw: R. I. Jones & Sons, 17 Kingsdown Road, Hornsey, London N19. Fe fyddai'r siop ar agor o saith o'r gloch y bore hyd saith o'r gloch y nos. Ac ar ddydd Sul fe fyddai ar agor tan ginio. Fe fydden nhw'n mynd i'r eglwys ar ddydd Sul, Eglwys St Padarns. Wedyn, yn ddiweddarach, y dechreuon nhw fynd i gapel Mam yn Castle Street.

Yn y capel yn Llunden roedd y drefn yn wahanol i'r hyn own i'n gyfarwydd ag e' yn Llangwrddon. Yng nghyfarfod y nos, adeg y bregeth, fe fyddai'r plant i gyd yn mynd lawr y grisiau. Fydden ni ddim yn gorfod eistedd drwy'r bregeth. Wedyn fe fyddai'r plant am i fi sôn wrthyn nhw am fywyd yng nghefn gwlad. Rwy'n cofio sôn, ymhlith pethe eraill, ein bod ni'n cadw gwartheg a 'mod i'n gorfod carthu. Fe ofynnodd un ohonyn nhw i fi beth oedd carthu a finne'n ateb mai ystyr carthu oedd clirio caca. Fe ges i bregeth gan yr athrawes. Roedd e'n dipyn o hwyl. Dyna lle'r oedden ni, tua deg ar hugain o blant, a fi oedd yr unig un oedd yn gwybod beth oedd carthu.

Cymraeg oedd iaith pawb ohonon ni, pawb ond yr organydd, Gwyn Laing, bachan o Gastell-nedd. Doedd e'n ddim byd i weld cant a mwy yn y gynulleidfa yn Castle Street, ac yn eistedd bob amser ar y galeri y tu ôl i'r cloc roedd Tad-cu a Mam-gu. Yn union y tu ôl iddyn nhw fe fyddai'r Doctor Terry James. Ef fyddai yng ngofal côr

Castle Street. Roedd Tad-cu yn aelod o'r côr, roedd e'n denor oedd wedi dysgu canu gyda Syr Walford Davies pan oedd hwnnw yn Aberystwyth.

Ond yn y wlad y byddwn i hapusaf. Mater o amser oedd y tu ôl i'r dynfa, dwi'n meddwl. Amser i bopeth. Yn Llunden roedd gormod o brysurdeb felly roedd cael mynd i'r wlad at yr holl anifeiliaid a'r awyr iach yn nefoedd. Roedd rhediad bywyd yn fwy araf. Eto i gyd, drwy fynd i Lunden bob amser gwyliau fe fyddwn i'n cael y gorau o'r ddau fyd.

Ac roedden nhw'n ddau fyd cwbwl wahanol. Ar ôl bod yn y capel yn Llangwrddon fyddai dim sôn am gwrw, wrth gwrs, ond yn Llunden, ar ôl yr oedfa, fe fyddai Mam yn mynd â ni i'r Lyons Corner House i gael swper nos Sul tra byddai'r dynion yn mynd i'r Hollyrood yn y West End i gael peint. Yn Llunden roedd y capel a'r dafarn yn mynd law yn llaw, y synagog a'r dafarn, chwedl Williams Parry.

Un peth rwy'n ei gofio pan own i'n llanc tua phymtheg oed oedd cael mynd â'r llaeth o gwmpas y gwahanol ffatrïoedd ar feic. Beic gyda chariwr mawr sgwâr oedd e', wrth gwrs. A phan fyddwn i'n dod bant o'r beic roedd e'n tueddu i fynd ar ei drwyn oherwydd y pwysau tu blaen. Fe dorrais i lawer iawn o boteli llaeth wrth i hynny ddigwydd.

Peth arall sy'n fyw iawn yn y cof hefyd yw'r nwyddau oedd yn cael eu storio ymhob twll a chornel. Pan fyddwn i yno ar wyliau fe fyddai'r stafell wely yn llawn bocsys o bob math. Pan fyddwn i'n methu cysgu fe fyddwn i'n darllen cefnau'r bocsys ac rwy'n meddwl mai drwy ddarllen bocsys *Quaker Oats* a *Corn Flakes* y gwnes i ddysgu Saesneg. Roedd bocsys ymhob man. Wir i chi, y peth cynta oedd i'w weld wrth i rywun ddod mas o'r

15

tŷ bach oedd bocs yn cyhoeddi *'Wilson's Makes Your Dog Happy.'*

Ychydig iawn o Saesneg oedd gyda'r plant nôl yn Llangwrddon. Rwy'n cofio Islwyn Brynchwith, fy nghefnder, yn dod fyny gyda fi ar wyliau i Lunden ac un prynhawn wrth i ni fynd allan dyma Mam yn mynnu ein bod ni'n cael tynnu'n lluniau. Dyma'r pedwar ohonon ni'n mynd i'r lle tynnu lluniau, Islwyn, Trefor, Glenys fy chwaer a finne. A dyma Mam yn ein gadael ni i fynd i'r tŷ bach a'r dyn tynnu lluniau'n dod draw a gofyn, *'All right then, kids, 'ow many of you in the picture? All four?'* Ninnau'n edrych arno fe fel plant bach diniwed. Ond dyma Islwyn yn cochi fel rhosyn ac yn ateb, *'Yes, we want to pull the photos together. You can pull me, him, she and it.'*

Roedd hi'n ddiddorol yn y siop hefyd lle roedd Nhad yn gwerthu popeth. Caws, cig moch, llaeth, wrth gwrs, a nwyddau o bob math. Un peth rwy'n ei gofio fel heddiw yw mynd gyda Nhad i agor y siop ar ôl yr awr ginio a thri dyn yn disgwyl amdanon ni. Erbyn hyn roedd e' wedi agor ail siop yn Lancia Road. Wyddwn i mo hynny ar y pryd, ond wedi dod i ddwyn o'r til oedden nhw. Dyma Nhad yn darllen y sefyllfa ac yn dweud wrtha i, yn Gymraeg, wrth gwrs, am redeg mor gyflym ag y medrwn i a dweud wrth blismon oedd yn byw i fyny'r stryd am ddod lawr ar unwaith. A dyna a ddigwyddodd. Fe gododd y plismon fi ar ei ysgwyddau a rhedeg i lawr i'r siop ac fe lwyddodd e' i ddal y tri. Dyna'r tro cynta i fi weld Black Maria. Fe yrrwyd y tri darpar-leidr i ffwrdd ynddi i swyddfa'r heddlu. Dyna enghraifft dda o ddefnyddioldeb y Gymraeg. Petai Nhad wedi dweud wrtha i yn Saesneg am fynd i nôl y plismon fe fyddai'r dynion wedi deall ac wedi fy stopio i.

Fe lwyddodd fy rhieni i setlo i lawr yn rhyfeddol yn Llunden. Roedd Nhad yn hoff o'i beint ac roedd ganddo fe hefyd ddiddordeb mawr mewn bowls. Yn wir, yng Nghlwb Bowlio Aberville yn Turnpike Lane roedd e'n bencampwr. Roedd e'n hoff o wylio pêl-droed hefyd ac yn ffan mawr o Arsenal. Fe fyddai'n mynd i Highbury i'w gweld nhw ac fe fydden ni'r plant yn chwarae llawer yn y cyffiniau yn Finsbury Park.

Fe benderfynodd y ddau, ar ôl ymddeol, symud lawr i Horsham yn Swydd Sussex. Roedden nhw wedi trefnu i rywun redeg y siop tra oedd hi ar y farchnad. Ond, yn greulon iawn, ar yr union fore roedden nhw wedi trefnu i symud i Horsham fe gafodd Nhad strôc ac fe'i parlyswyd ef ar hyd un ochr. Felly y bu e' am wyth mlynedd cyn iddo fe farw.

Mae Mam, sy'n 86 oed, wedi aros yn Horsham ac mae Glenys, yr ieuengaf ohonon ni'r plant, yn briod ac yn byw yn ei hymyl.

Cymraeg oedd iaith yr aelwyd i gyd, ac yn y siop fe fyddai fy rhieni yn defnyddio'r Gymraeg i bwrpas pan nad oedden nhw am i bobol eraill ddeall. Er hynny rwy'n dal i arddel y ffaith i mi gael fy ngeni'n Gocni. Os bydda i'n gweithio gyda chriw ffilmio dieithr fe fydda i'n tynnu eu coes nhw'n aml drwy sgwrsio yn Saesneg gydag acen Cocni. Ac mae John y mab yr un fath.

Rwy'n meddwl fod y Cocni yn gymeriad. Fe fydda i wrth fy modd yn gwylio hen raglenni Alf Garnet ac *Only Fools and Horses*. Mae Alf a Del Boy yn glamp o gymeriadau. Rwy'n cofio mynd o gwmpas gyda Mam pan own i'n fychan iawn a chlywed y cymeriadau lleol yn ei chyfarch, *'Hello there, Peggy Dick, how are ya?'* Gan mai Dick oedd enw fy nhad, Peggy Dick oedd hi. Roedden nhw'n cymryd yn ganiataol mai Nhad oedd yn berchen Mam.

Roedd Nhad a Mam yn siarad Saesneg gydag acen Cocni naturiol. Mae Mam o hyd yn siarad fel Cocni. Rwy'n cofio mynd i Lunden i recordio rhywbeth neu'i gilydd yn yr Alexandra Palace a Nhad yn archebu tacsi i fi dros y ffôn. *'I want to order a taxi for Mr David Jones. 'E's goin' to Ally Pally.'* Wel diawch, rown i'n meddwl ei fod e'n fy nanfon i i rywle yn India. Pan gyrhaeddodd y tacsi, rhyw Indian gyda thwrban am ei ben oedd yn gyrru. Dyma finne, yn fonheddig, yn dweud wrtho fe, *'I'd like to go to the Alexandra Palace.'* Yntau'n ateb, *'I know, mate, Ally Pally.'*

Am Mam, fe allai unrhyw un gredu o hyd, o'i chlywed hi'n siarad Saesneg, ei bod hi'n dod o'r East End. Ac mae Glenys fy chwaer yr un fath. Mae Mam, gyda llaw — ac mae pawb sy' wedi'i gweld hi'n dweud yr un peth — yn edrych yr un ffunud â Magi'r Post o 'Pobol y Cwm'. Mae hi'r un maint, yr un siâp a'r un mor siaradus.

Rwy'n ei chofio hi unwaith yn gorfod ffonio un o benaethiaid Nhad i'w hysbysu na fyddai e'n medru mynd i'r gwaith y diwrnod hwnnw. Yn ei hacen orau a'i Saesneg mwyaf parchus dyma hi'n dweud, *'I'm very sorry, but my husband can't come to work today because he's suffering with diarrhoea.'*

A'r pennaeth yn ateb, *'Aw, bloody 'ell, I can't spell that, Mrs Jones. I'll put "the shits" down instead.'*

Ie, Cocnis. Does neb yn debyg iddyn nhw.

Er mai yn y wlad oedd fy nghalon i fe fyddwn i, er mai dim ond am gyfnodau byr y byddwn i yn Llunden, yn hiraethu am ambell ffrind yno. Mae'r Cocni, i fi, yn debyg iawn i'r Cardi. Mae e'n gymeriad ac mae rhywbeth yn annwyl ynddo fe. I fi, nid Sais yw'r Cocni. Rwy'n teimlo weithiau fod y Cocni'n Gelt. Does dim byd yn uchel-ael ynddo fe ac mae e'n fodlon rhannu.

I'r Cocni, fel i'r Cardi, mae hiwmor yn chware rhan bwysig iawn. Maen nhw'n medru setlo dadl drwy ddweud jôc. Mae'n wir am y Gwyddelod hefyd, ac roedd llawer o'r rheiny yn yr ardal. Roedd ganddyn nhw ryw eglwys fach sinc ddim yn bell o'r siop. Fe fyddai cymaint am fynd i oedfa'r bore yno fel bod yn rhaid cynnal tair oedfa. Fe fyddai Nhad wrth ei fodd gyda'r Gwyddelod gan eu bod nhw'n bwyta'r bacwn gwyn ac yn prynu llwythi ohono fe yn y siop.

Mae'n debyg fod fy rhieni yn cynrychioli dechrau'r diwedd i Oes Aur y Cymry yn Llunden. Roedd 'na lawer iawn yr un fath â nhw yno, yn rhan o gymdeithas anferth. Roedd y clwb yn Grays Inn Road ar ei anterth. Roedd yno lawer iawn o gymdeithasu. Ac roedd gan Lunden yn y cyfnod hwnnw, wrth gwrs, lawer iawn i'w gynnig. Bob amser cinio fe fyddai Nhad yn galw yn y dafarn leol a chyda'r nos fe fyddai'n chware bowls.

Doedd dim prinder ffrindiau yno gan fod cymaint o Gymry eraill yn byw yn y cylch. Fe fyddwn i'n galw'n aml gyda Tom a Leis Lloyd yn y Candy Bar yn 555 Holloway Road. Merch o Langwrddon oedd Leis, o'r un ardal â Nhad. Fel Leis Cornel y byddwn i'n ei hadnabod hi. Mewn cyfnod diweddarach, bob tro y byddwn i'n canu yn ardal Llunden, fe fyddai Tom a Leis yno.

Un arall o'r ardal oedd Steve Davies o Langeitho oedd â rownd laeth. Fe fu Tom yn gweithio gyda Steve. Ac roedd brawd i Nhad, Wncwl Wil yn byw yn Priory Road, Muswell Hill. Roedd y Cardis yn drwch yno, ac fel yr

Eidalwyr neu'r Gwyddelod, fe fydden nhw'n dueddol o sticio gyda'i gilydd.

Roedd Nhad yn cadw'n glòs iawn at arferion arbennig. Fe fyddai'n codi am bedwar o'r gloch y bore bob dydd o'r wythnos. Wedyn fe fyddai'n cau'r siop am awr bob amser cinio. Roedd honno'n rheol sanctaidd, bron iawn wedi ei cherfio ar lechen. Ond doedd e' byth yn tynnu'i ffedog, ddim i fwyta'i ginio, ddim i yfed peint gyda'i ffrindiau gyda'r nos. Ond ar ôl ei ginio fe fydde fe'n cael rhyw hoe fach gan hepian gyda'r papur newydd dros ei wyneb. Roedd y papur, hwyrach, yn ddigon i'w gau e' bant oddi wrth weddill y byd.

Fe wnes i wylio'r gyfres deledu 'Y Palmant Aur' ond, i fi, darlun ffug o fywyd yn Llunden oedd hwnnw. Doeddech chi ddim yn cael y darlun iawn o'r gymdeithas glòs a fyddai'n mynd i dai ei gilydd ar nos Sadwrn er mwyn cadw'u Cymraeg yn loyw. Fe welais i Nhad yn rhedeg mas o ryw nwyddau neu'i gilydd yn y siop ac yn ffonio Wil Caledonian, hwyrach. 'Oes gen ti'r peth a'r peth?' 'Oes, fe hela i fe lan i ti nawr.' Felly roedd pethe yno.

Roedd e'n ddarlun cwbwl ryfedd i rywun o'r wlad, ond i rywun o un o gymoedd y De, doedd e' ddim mor wahanol, mae'n debyg. Yn Llunden, fel yn y Rhondda, fe fyddech chi'n gweld bysus drwy'r dydd. Yn Llangwrddon falle na welech chi ond un bws mewn wythnos.

Yr unig elfen oedd yn gyffredin yn Llunden ymhlith y Cardis a'r bobol oedd nôl ar y Mynydd Bach oedd y gymdogaeth dda. Roedd gan y Cardi hefyd enw da. Fe fyddai'r banciau yn barod i fenthyca iddo fe. Roedden nhw'n gweld fod y Cardis yn fodlon gweithio. Pwdryn yw Sais yn y bôn. Mae'r Cardi — a'r Cymro yn gyffredinol — yn fodlon gweithio. Tra oedd y Cocni yn hoffi amser da, yn yfed hyd oriau mân y bore, roedd y Cardi'n gweithio bob dydd o'r wythnos a rhan helaeth o bob nos hefyd.

Nid fel un o'r Cymry yn Llunden y byddwn i'n fy nisgrifio fy hun. Yn hytrach, Cardi yn Llunden oeddwn i. Ac rwy'n ymfalchïo yn hynny. Mae 'na stori am Gardi yn gwerthu bwydydd gwartheg pan ddaeth Sir Dyfed i fodolaeth. Yn Sir Benfro fe gafodd baned o de heb siwgwr. Ymateb gwraig y tŷ oedd, 'Cymerwch y basin. Mae'n ddrwg 'da fi.' Yn Sir Gaerfyrddin yr ymateb oedd, 'Sdim siwgwr yn y te. Ond cymerwch lwyaid.' Yn Sir Aberteifi, os na fyddai siwgwr yn y te yr ymateb oedd, 'Odi chi'n siŵr i chi ei droi fe?'

Roedd Nhad a Mam yn Llunden dros y Rhyfel, wrth gwrs, a phryd hynny roedd Nhad yn gweithio fel dyn tân yn King's Cross. Un noson fe'i galwyd e' allan i dân a achoswyd gan y bomio. Fe helpodd Nhad i gario mam a mab allan ond roedden nhw wedi marw. Sut bynnag, fe lwyddodd i achub un ferch a'r tad. Wedyn y deallodd iddo achub tad a merch o Lanfarian, Victor a Gillian Stephens, oedd wedi bod yn byw ond ychydig filltiroedd o'i hen gartre yn Llangwrddon. Fe fu Gillian yn cadw tafarn y Royal Oak yn Llanfarian gyda'i gŵr, Ken Joel, am flynyddoedd wedi hynny. Ie, un arall o'r cyd-ddigwyddiadau rhyfedd yma.

Wedi'r Rhyfel fe brynodd fy rhieni hen siop sgidie mewn ardal oedd wedi'i bomio'n fflat. Ac yn fuan iawn roedd y busnes yn cyflogi wyth o bobol i fynd allan bob dydd gyda throlis a faniau. A dyna sut y cychwynnodd y cyfan. Drws nesa roedd Bill ac Elsie Thomas o Gastell-nedd yn cadw siop loshin, nhw a'u mab David. Y rhain oedd yr unig siopau yn yr ardal, felly roedd busnes dda yno. Beth bynnag, dros nos bron iawn, fe drodd Nhad o fod yn was i fod yn gyflogwr sylweddol.

Heddiw mae'r lle wedi newid yn llwyr, ac o'i weld rwy'n falch mai yn y wlad y codwyd fi. Wnes i ddim penderfyniad pendant fy mod i am aros yn y wlad oherwydd fy hoffter o fywyd Cymraeg na dim byd felly. Yn un peth roeddwn i'n rhy ifanc i feddwl am bethe felly. Na, atyniadau llawer mwy hunanol oedd wrth wraidd y penderfyniad. Cael gyrru tractor, er enghraifft. Cael dewis ci bach o blith torred wedyn. Pwy fyddai am fynd nôl i Lunden a gadael temtasiynau felly?

Ac fe ddeallai Wncwl hynny'n dda. 'Wyt ti am edrych ar ôl y llo bach 'na neu a wna i ei werthu fe?' Finne'n ateb yn syth, 'O, rwy am ei gadw fe, Wncwl.' Rhyw flacmel bach digon diniwed, wrth gwrs. Ond gan nad oedd ganddo fe blant ei hun roedd fy nghael i yno yn golygu llawer iddo fe.

Ie, rhyw ddewis byw yn y wlad wnes i, fel rhyw hen ddafad fynydd. Pan ffeindith honno borfa fras, mae hi'n dueddol o sticio yno. Gadewch chi lidiart ar agor i ddafad ac fe aiff hi i ble bynnag sy'n ei siwtio hi orau. A dyna wnes i.

Erbyn hyn mae'r rhod wedi troi cylch cyfan ac mae'r hen gyd-ddigwyddiad yna wedi ailadrodd ei hun unwaith eto. Y lle cynta i Nhad fynd i weithio ynddo fel gwas bach oedd Argoed, Llangwrddon. Heddiw, fi sy'n rhentu'r lle.

Dysg ac Ychydig Ddawn

I ysgol fach leol Llangwrddon yr es i, a Threfor hefyd. Rwy'n cofio'r brifathrawes, Mrs M. M. Andrews, yn danfon dau o'r disgyblion lan un bore, Dai Ty'n Llwyn a Glenys Penbont — gwraig Sulwyn Thomas, gyda llaw. Wellodd e' ddim ohoni hi gan mai Glenys Thomas oedd hi yn y dyddiau hynny a Glenys Thomas yw hi o hyd.

Fe gawson ni'n derbyn ar unwaith gan y plant eraill ac fe gymerais i atyn nhw o'r dechre. Rown i am wneud yr hyn oedden nhw'n ei wneud. Dwy athrawes yn unig oedd yn ysgol fach Llangwrddon, sef Megan Maenelin i lawer o bobol, ond Miss Williams i fi. Fe briododd yn ddiweddarach â'r Parchedig Neville Morris, gweinidog yn ei dro yng nghapel Carno. Menyw ffeind iawn. Ein hathrawes ni, yn y dosbarth mawr oedd Mrs Andrews.

Ac wrth gwrs, rhyw ddifyrrwch oedd yn perthyn yn arbennig i blant y wlad oedd ein diddordeb ni adeg chware. Roedd arwr gen i yn yr ardal, D. C. Morgan y bwtsiwr. Roedd ganddo fe ladd-dy ac ef hefyd oedd y Cynghorydd. Amser chware fe fyddai pawb o'r plant yn gwneud gwahanol bethe. Fy ngwaith i bob tro oedd cadw siop bwtsiwr — addas iawn gan fy mod i'n hoff iawn o gig, beth bynnag.

Ar y wal o dan yr ysgol y byddai'r siop, a cherrig oedd y darnau cig, cerrig o wahanol faint. Un prynhawn fe ddaeth Ann Cornel i mewn i'r siop i brynu cig ar gyfer diwrnod dyrnu. Wel, doedd dim carreg ddigon mawr yn y siop, felly fe es i allan i Gae Felin i nôl carreg anferth yn gig dyrnu i Ann. Rhyw bethe twp fel'na, ontefe.

Rown i hefyd yn mynd rownd yr iard yn esgus 'mod i'n gyrru fan, yn mynd â'r cig ar y rownd. Roedd rhywun yn cadw stŵr nes bod ei geg e'n blino wrth ddynwared sŵn y fan, brrrm, brrrm, brrrm. Beth bynnag, fe fyddai gan bob un ei siop amser chware. Gan mai dwy fenyw oedd yn ein dysgu ni doedden ni ddim yn cael llawer o ymarfer corff. Doedd dim sôn am bêl-droed. Does gen i ddim cof gweld pêl, ar wahân i bêl fach, a honno'n mynd i lawr yr hewl o hyd. Fe fyddai'r llwybrau at yr hewl yn goch o redeg i nôl y bêl.

Yna fe ddaeth Wil Griffiths yn stiwdent i'r ysgol. Fe fu wedi hynny yn brifathro yn Ysgol Comins-coch ger Aberystwyth. Roedd e', wrth gwrs, yn y coleg a dyma fe'n ceisio codi tîm pêl-droed. Roedd hynny yn wefr a hanner.

Aelod arall o staff yr ysgol oedd y cwc, a hi fyddai hefyd yn glanhau. Mrs James, Rhos y Garreg oedd hi. O'r Rhondda roedd hi'n dod yn wreiddiol ac roedd ganddi lais contralto ardderchog. Rwy'n ei chofio hi'n canu yn y cyngerdd Nadolig. Beth bynnag, bryd hynny roedd rhaid gwneud y bwyd i gyd. Doedd dim byd wedi'i baratoi ymlaen llaw. Roedd Dai Ty'n Llwyn yn dipyn o ffefryn ganddi hi ac roedd pawb yn gwybod hynny. Eisteddai Dai wrth fy ymyl i ac weithiau fe fyddwn i'n ceisio sleifio i mewn i le Dai ar dop y bwrdd. Os byddai rhywbeth fyddwn i'n leicio, rhyw darten arbennig neu rywbeth tebyg, fe eisteddwn yn lle Dai er mwyn gwneud yn siŵr y byddwn i'n cael y pishyn mawr. Ond fe ddeuai Mrs James rownd ac os gwelech chi hi'n sychu'i dwylo yn ei ffedog fe wyddech fod bonclust i fod. Wedyn roedd yn rhaid bod yn ofalus.

Rown i'n mwynhau'r ysgol yn fawr iawn. Yn wir, yr unig beth own i'n ei gasáu oedd chware'r ffidil. Eisie bod yn ffarmwr own i, felly roedd cario'r blwmin cês yn farn ac yn fwrn. Fe fu fy ffidil i fwy ym môn clawdd na ffidil neb arall. Ac am ryw reswm, i wneud pethe'n waeth, fi oedd yr unig un â chês brown. Rhai duon oedd gan bawb arall.

Ond er gwaetha popeth rown i'n ddigon medrus yn chware'r offeryn ac fe fyddwn i'n perfformio mewn ambell gymanfa. Chware o'r glust fyddwn i. Fedrwn i ddim, a fedra i ddim hyd heddiw, ddarllen cerddoriaeth.

Own, rown i wrth fy modd yn Ysgol Llangwrddon. Roedd popeth yno. Yn ogystal â'r gerddorfa roedd disgwyl i bawb ohonon ni ganu, disgwyl i bawb ohonon ni adrodd. Roedd y traddodiadau Cymraeg yno ar eu gorau.

Fe fyddai'r cyngerdd Nadolig yn achlysur arbennig. Roedd gyda ni gerddorfa yno, wrth gwrs, a band taro. Y treiangl own i'n ei chware yn y band taro. Fe fûm i'n chware'r drwm ond mi fwriais dwll yn hwnnw am fy mod i'n taro mor galed ac mor ddi-siâp. Wedyn fe ges i'r treiangl. Doedd dim modd torri hwnnw.

Rwy'n cofio un cyngerdd arbennig un Nadolig yn yr ysgol a Syr Ifan ab Owen Edwards yn bwriadu dod yno. Bryd hynny doedd ei enw fe'n golygu dim i ni, hen blant Llangwrddon. Dim ond adnabod pobol leol oedden ni, pobol leol fel William Evans Tanglogau, Dai Cnwc, Wil Tŷ Cam, Tom Treflys ac ati. Felly pan glywson ni enw Syr Ifan ab Owen Edwards doedd gyda ni ddim cliw pwy oedd e'.

Ond dod wnaeth e' i'r cyngerdd Nadolig, ac roedd hynny ynddo'i hun yn dangos ei fod e'n gyngerdd plant o safon. Rwy'n cofio Mrs Wilson yn rhedeg lan o Siop

Woodward ac yn gweiddi ar Mrs Andrews yn yr iard. 'Mrs Andrews, Mrs Andrews,' medde hi — roedd hi wedi dysgu Cymraeg — 'y mae Syr Ifan ab Owen Edwards yn dod i cyngerdd ti heno.'

Roedden ni'r plant wedi'n syfrdanu. Pwy yn y byd oedd y dyn yma oedd yn dod i'n gweld ni? Ac rwy'n cofio gofyn i Meurig Brynbwa, 'Pwy yw'r Syr Ifan ab Owen Edwards 'ma, dwed?'

'Yffarn, 'wi ddim yn gwbod,' medde fe, 'ma'fe siŵr o fod yn rhywun o'r armi.'

Ond fe ddaeth y dyn ac rwy'n ei gofio fe'n ein cyfarch ni, blant, ar y diwedd. Mae hynny'n rhywbeth sy'n aros mas yn fy nghof i.

Cerdded i'r ysgol fyddwn i. Roedd gen i ryw filltir i'w cherdded o Dy'n Cefen i'r ysgol bob dydd. Doedd mynd lawr yn y bore'n ddim byd. Dyna pam na ches i ddim beic. Fe fyddwn i, ar feic, yn medru mynd lawr yn y bore mewn dwy eiliad ond fe gymerai ddwy awr i fi ei wthio fe nôl. Felly cerdded own i. Yr adeg honno fe fyddai bois yr hewl i'w gweld yma ac acw. Ac rwy'n credu fod Cymru gyfan yn diodde o golli bois y *length*. Roedden nhw'n cadw'r cwteri'n lân yn un peth. Heddiw, ar ôl dim ond un gawod o law, mae'r dŵr yn llifo ar ganol y ffordd.

Roedden nhw'n gymeriadau, yn arbennig i ni blant. Fe fydden nhw'n dysgu gwahanol bethe i ni. Rwy'n cofio Mrs Andrews yn rhoi pregeth i fi. Rown i ar ôl yn cyrraedd yr ysgol oherwydd 'mod i wedi oedi i siarad â William Williams, Tŷ Capel — fe oedd dyn y *length* yn ein hardal ni — ac yntau'n dweud storïau a chelwydd gwyn wrtha i. Rwy'n credu 'mod i'n dysgu mwy ar fy ffordd i'r ysgol nag oeddwn i yn yr ysgol. O leiaf, roedd gen i fwy o ffydd

yn yr hyn a ddwedai William Williams wrtha i na'r hyn
a ddwedai'r ysgol.

Fe fyddwn i'n hwyr bob dydd yn mynd i'r ysgol a Mrs
Andrews yn fy rhybuddio i un bore, wrth imi gyrraedd
ar ganol y weddi, 'Os byddwch chi'n ddiweddar fory, Defi
John, fe fydd 'na gansen.'

Y bore wedyn, a finne'n hwyr, wrth gwrs, rwy'n cofio
ceisio mynd i mewn yn dawel bach tra oedd y plant eraill
i gyd ar eu traed yn gweddïo a'u cefnau at y drws. Ond
fe welodd hi fi.

'Dewch chi 'ma,' medde hi, cyn yr Amen, 'dewch chi
'ma, Defi John. Llaw mas. Siarad â William Williams
heddiw eto, ife?'

Rown i'n paratoi at dderbyn fy nghosfa gyntaf erioed.
'Nage wir,' medde fi. 'William Williams fuodd yn siarad
â fi heddi.' Fe dderbyniodd y jôc, a thrwy hynny fe ges
fy achub rhag y wialen.

Ie, cerdded i'r ysgol fyddwn i fel arfer ond os byddai'n
bwrw glaw yn drwm fe fyddai'n cymydog ni, Lewis
Davies, Maesbeidiog yn ein hebrwng ni i'r ysgol. Roedd
ganddo fe ferch, Olwen oedd yr un oedran â Trefor. Mae
hi erbyn hyn yn wraig ffarm yn Ffair-rhos. Roedd Lewis
Davies yn wahanol i bawb arall gan y byddai e'n newid
ei gar bob blwyddyn. Fe fu tractor gan Lewis Davies am
flynyddoedd, *David Brown* dwy-sedd ond fe newidiai ei
gar yn rheolaidd. Rwy'n cofio *Triumph Mayflower* ganddo
fe, a *Standard Vanguard* wedyn. Car sgwâr oedd y
Mayflower, fel bocs mwstard.

Fel pob plentyn arall fe fyddwn i'n mynd allan i hela
calennig. Chwe cheiniog yma, saith geiniog fan draw,
hanner coron weithiau. Roedd Olwen Maesbeidiog yn
un o'r criw, ac ym Maesbeidiog y bydden ni'n cyrraedd

nôl tua hanner awr wedi tri ar brynhawn Dydd Calan i gyfri'r arian. Paned o de yno wedyn ac ambell ffrwyth.

Fe fyddai teithiau blynyddol yn rhan o fywyd yr ysgol. Yn y gwanwyn, taith i Fanc Rhos y Garreg a Chnwc y Barcud. Mynd ar ôl cinio a Mrs Andrews yn arwain a Mrs Williams yn cynorthwyo. Mynd i weld y clychau glas a'r blodau gwylltion eraill a chael prynhawn o chware yn y caeau. Petaen ni'n cael mynd i Disneyland, fydde hi ddim yn fwy o wledd. Mynd i oglau'r clychau glas a gweld yr ŵyn bach yn prancio. Ac weithiau ebol. Roedd gweld ebol yn rhywbeth arbennig.

Wedyn trip bob haf, y trip blynyddol. Cinio cynnar a mynd i'r Borth ar y bws. Mynd rownd i Landre ar hyd y briffordd a nôl dros y top drwy Glarach. Fe fydden ni'n treulio'r dydd ar y prom a chael swper o tships a bîns mewn hen gaffi bach gyferbyn â'r traeth. Mae'r hen gaffi bach yno o hyd.

Roedd Miss Williams yn enedigol o'r Borth ac felly roedd rhaid stopio ar y top i weld bro Miss Williams pan oedd hi'n groten fach. A druan ohoni, ar y ffordd adre fe gâi ei chwestiynu'n ddidrugaredd. Ble oedd hi'n mynd i'r ysgol, be fydde hi'n ei wneud ac yn y blaen.

Yn ogystal â'r ysgol ddyddiol fe awn i'r Ysgol Sul hefyd, wrth gwrs. Yn fy nosbarth i yn Nhabor roedd 'na bymtheg o blant. Miss Evans Felin Gwm annwyl oedd yr athrawes. Roedd hi'n ddibriod ac yn cadw siop fach Felin Gwm ac yn dod â loshin i ni bob dydd Sul. Menyw fach, waelaidd yr olwg oedd hi ond roedden ni'n meddwl y byd ohoni.

Merched oedd yn y dosbarth bron i gyd. Dai Ty'n Llwyn, Gwilym Maesllyn a fi oedd yr unig fechgyn. Symud ymlaen wedyn i ddosbarth uwch lle'r oedd J. O.

Evans, Gwar-caeau yn athro arnon ni. Roedd hwn yn arwr gyda ni. Ar wahân i fod yn athro roedd e'n ganwr hefyd ac yn ein hyfforddi ar gyfer y Cwrdd Bach.

Fe fyddai 'na holi ar hanner yr Ysgol Sul. Ac fe ges i'r fraint o fod yn Arolygydd am gyfnod, rhywbeth rwy'n dal i'w drysori'n fawr. Doeddwn i ddim yn ysgolhaig o bell ffordd ond fe ges i'r fraint honno. Y pregethwyr gwadd fyddai'n ein holi ni, a hynny ar hanner yr ysgol. Fe synnai'r pregethwyr hynny o weld mor hyddysg oedden ni, blant Tabor, yn y Beibl. Roedd gennym atebion parod. Waeth pa mor anodd, waeth pa mor ddwfn fyddai'r cwestiwn, fe fyddem yn medru ei ateb. Pam? Wel am fod J. O. Evans yn sibrwd yr atebion wrthon ni'n dawel bach, ac er mwyn cael perswâd arnon ni i ateb fe roddai loshin i ni ar ôl hynny. Mae'n rhaid iddo, dros y blynyddoedd, fod wedi prynu tunelli o *Bluebird Toffee*. Arferai Gwilym Maesllyn ddweud, 'Mae'n werth ateb cwestiwn er mwyn cael y Deryn Glas.'

Ac fe fydden ni'n mynd i'r siop i geisio prynu'r union loshin y byddai J.O. yn eu rhoi i ni a gofyn i Jane y tu ôl i'r cownter am chwarter o Aderyn Glas. Fe gymerodd flynyddoedd iddi ddeall beth oedden ni'n ofyn amdano.

Roedd gen i ryw filltir a hanner i fynd i'r capel ond fe fydde Evans Tanglogau yn galw i'n nôl ni yn ei gar. Rwy'n ei gofio fe, yr hen Ffordyn bach cynta i ddod i'n hewl ni. Ac rwy'n cofio'i rif e' hefyd, JXP 99. Ac yn y *Ford* bach fe fyddai Evans ei hun yn gyrru, William Howells, Pant-teg wrth ei ochr, a'r tu ôl, Olwen Maesbeidiog, Trefor fy mrawd a fi. A hefyd Leis Cornel, a doedd Leis ddim yn un fach iawn.

Ar Riw Pengelli, dim ond ei gwneud hi fyddai e' i fynd â ni i gyd lan y rhiw. Petai Leis Cornel wedi digwydd dod â'i handbag fe fyddai'n rhaid i un ohonon ni gerdded. Ac roedd hynny'n wir ar adegau. Fe fyddai'n rhaid i rai ohonon ni fynd allan — Trefor a fi fel arfer — a cherdded i fyny Rhiw Pengelli. Yna, yn ôl i'r car ar y top. Ond roedden ni wrth ein bodd. Gwybod yr amser yn union i'r tic. Dod allan i gwrdd â'r JXP 99.

Wrth gwrs, pan own i'n blentyn, ar ôl mynd adre o'r ysgol roedd rhaid i fi wneud gwahanol ddyletswyddau. Fe fyddwn i wrth fy modd yn godro, godro â dwylo, yn ddigon naturiol bryd hynny. Erbyn own i'n saith oed rown i'n medru godro cystal ag unrhyw un. Godro gwartheg llonydd, wrth gwrs. Ond am Trefor, doedd e' ddim yn hoff iawn o waith ffarm o gwbwl. Falle — ac mae hyn yn beth ofnadwy i'w ddweud am frawd — falle ei fod e'n fwy o bwdryn nag own i. Ac rwy'n siŵr y byddai e'n cytuno. Ond amdana i, pan fyddai f'ewyrth i eisie rhywbeth fe fyddwn i wrth ei sawdl e'. Dim ond dweud oedd ei angen, 'Defi, watsha fan hyn. Defi, watsha fan 'co. Defi, cer fan hyn. Defi, cer fan draw.' Ac fe fyddwn i'n mynd. Fe fyddai e'n gadael ambell i jobyn fach yn fwriadol er mwyn cael fy help i, a 'nghwmni i hefyd, siŵr o fod.

Ond roedd fy mrawd yn wahanol. Roedd gofyn cael help Trefor weithie gan fod y gwartheg, er enghraifft, yn medru bod yn broblem. Gan fod Ty'n Cefen ar ben yr hewl roedd gofyn cael rhywun o'u blaen nhw, rhywun y tu ôl iddyn nhw a rhywun i'w troi nhw allan. Fe waeddai ewyrth ar fy mrawd, 'Trefor, cer lawr i agor gât Ca' Gwair a thro'r da mewn i'r ca'.' Trefor wedyn yn dweud, 'Fe â i nawr, Wncwl.' Ddim eisie mynd oedd e', wrth gwrs. 'Fe â' i nawr, ond rwy eisie gwneud pî-pî.' Ac fe fydde ewyrth yn ateb, 'Jiw, be' wna i â'r crwt diawl 'ma, mae e'n gwneud pî-pî neu pŵ-pŵ drwy'r dydd. Mae'n rhaid i hwnna fynd nôl.'

Nôl i Lunden oedd e'n feddwl, wrth gwrs, ond roedd e'n swnio fel 'tai e' wedi cael y batri rong i'r weierles.

A nôl i Lunden yr aeth Trefor yn ddiweddarach cyn iddo orffen yn yr ysgol. Ac yn un ar ddeg oed mynd wnes i hefyd. Nid i Lunden ond i'r ysgol fawr, i Ysgol Dinas yn Aberystwyth. A dyna pryd wnes i roi cynnig ar dwyllo Nhad i brynu beic i fi. Os oedd angen dillad neu anghenion eraill ar Trefor a fi fe ddanfonai arian i lawr ac fe fydden ni'n mynd i siop Daniel Thomas yn y dre i brynu trowser, côt, crys ac ati. Ond roedd gofyn am feic yn fater gwahanol. Fe wnes fy ngorau i dwyllo Nhad ond fe fethais.

'Rwy'n gorfod gadael yn fore i ddal y bws,' medde fi.

'O, ie. A ble fyddi di'n dal y bws?' gofynnodd Nhad.

'Wel, rwy'n gorfod cerdded naill ai at Rydroser neu i'r pentre i'w ddal e'.'

Yn anffodus, er bod Nhad yn bell i ffwrdd roedd e'n rhy gyfarwydd â jiograffi Llangwrddon. Felly ches i ddim beic.

Fe gychwynnais i yn Ysgol Dinas ar yr union ddiwrnod ag yr agorodd yr ysgol ei drysau am y tro cyntaf. Rwy'n cofio gweld adeiladu'r pum tŷ cyntaf o dan Riw Shôn Saer ar Gefn Hendre. Cyril Jenkins, Penrhyn-coch wnaeth eu codi nhw. Doedd dim byd ond caeau ar y Waunfawr yr adeg honno. Un siop oedd yno, Siop Williams y Waun, a chyda dyfodiad yr ysgol mae'n rhaid iddo fe wneud ffortiwn.

Roedd Ysgol Dinas yn cael ei galw'n Ysgol Fodern o'i chymharu ag Ysgol Ardwyn, ysgol uwchradd arall y dre a oedd yn Ysgol Ramadeg. Y rhai oedd yn cael eu hystyried yn llai disglair, fel arfer, oedd yn mynd i Dinas. Wnes i ddim yn ddigon da yn yr *Eleven Plus* i fynd i Ardwyn, a hynny'n fwriadol.

Un arall o fois yr hewl wnaeth hau'r hedyn o amheuaeth yn fy meddwl. Un bore, a'r arholiadau'n agosáu, fe stopiais am sgwrs yn ôl fy arfer. A dyma fe'n dweud wrtha i am blant ei frawd oedd yn Ysgol Ardwyn.

'Tase ti'n gweld y gwaith cartre maen nhw'n ei gâl,' medde fe. 'Myn yffarn i, Dai bach, paid mynd i Ardwyn neu pregethwr fyddi di.'

Fe benderfynais yn y man a'r lle na wnawn i basio'r *Eleven Plus* a mynd i Ardwyn. Wnes i fawr ddim ysgrifennu ar y papur arholiad, dim ond tynnu lluniau. Ac rwy'n cofio'n dda fore'r canlyniadau a Mrs Andrews yn eu cyhoeddi. 'Glenys Thomas — Ardwyn. Llywela Davies — Ardwyn.' Ac yna, o'r diwedd, dod at fy enw i. 'David John Jones — Dinas.' Wel, dyna beth oedd rhyddhad.

Atgofion cymysg iawn sydd gen i am Ysgol Dinas, ac yn arbennig am yr athrawon. Mae hi'n anodd iawn anghofio Miss Mair Evans, yr athrawes Astudiaethau Cymdeithasol, neu *Social Sciences* i ni. Dyna i chi beth oedd colbwraig. Fe ddyrnodd hon ei siâr ohona i. Un fach, fer oedd hi ac roedd hi bob amser yn dweud, os gwnawn i rywbeth o'i le, gyda phwyslais ar bob gair, 'Sit . . . down . . . there . . . ' gan bwyntio at y gadair oedd yn ei hwynebu hi. Ac o eistedd yno fe gydiai yn y *register* a'm dyrnu i ar fy mhen. Unwaith fe wnaeth i fi eistedd ar y llawr er mwyn iddi gael mwy o fantais ar gyfer y colbio.

Roedd stafell Astudiaethau Cymdeithasol ar yr ail lawr ac os digwyddai rhywun adael ei fag ysgol yn ei llwybr hi, a hithau'n baglu drosto, fe gydiai yn y bag a'i daflu allan drwy'r ffenest. Ac yna, waeth ym mha dywydd, hyd yn oed petai hi'n glawio'n drwm, chaech chi ddim nôl y bag nes byddai'r wers drosodd.

Un diwrnod fe'm hanfonodd i allan o'r dosbarth am fod yn ddrygionus. Fe glywn i sŵn traed y prifathro'n dynesu. Roedd hwnnw bob amser yn gwisgo sgidiau crêp, a'r rheiny ar lawr blociau pren yn rhyw chwibanu wrth iddo gerdded. Nawr, roedd y sŵn yn agosáu ac roedd yn rhaid gwneud rhywbeth ar fyrder. Beth oedd ar silff y ffenest wrth fy ymyl ond y *register*, yn barod i'w gario i lawr i stafell yr ysgrifenyddes. Fe gydiais ynddo a cherdded i gwrdd â'r prifathro, ac yntau'n dweud, 'Mae'n dda gweld eich bod chi'n bihafio heddi.'

'Diolch yn fawr, syr,' medde fi gan basio heibio iddo fe.

Bryd arall wedyn roedd Tegwyn Rhosgoch a fi wedi cael ein cadw i mewn dros yr awr ginio. Ein cosb oedd miniogi llond dau focs o benseli. Doedd gan Tegwyn ddim syniad sut roedd y miniogwr yn gweithio a dyma fi'n dweud wrtho am wthio pensel i fewn a dal i droi nes deuai'r pensel allan yr ochr draw. Ar ôl malu tri phensel cyfan dyma Tegwyn yn dweud, 'Diawl, fe ddylen nhw fod yn dechre dod mas nawr.'

Fe ddeallodd wedyn mai tynnu ei goes own i a dyma fynd ati i daflu'r gweddillion i'r bin a dechrau miniogi'r penseli a'u gosod nhw nôl yn y bocsys. Fe ddaeth Miss Evans yn ôl a'r hyn na wyddem ni oedd ei bod hi wedi cyfri'r penseli cyn mynd allan. Wrth fynd drwy bob un o'n pocedi roedd hi'n ein colbio ni, un am bob poced. Ac un arall wrth fynd drwy'r bagiau. Fe wnes i, yn y diwedd, gyfaddef popeth. A dyma golbiad a hanner nawr. Fe flinodd gymaint wrth fy ngholbio fel iddi

33

drosglwyddo'r *register* i Tegwyn a dweud wrtho fe am barhau'r golbiad.

'Alla i ddim o'i ddyrnu fe,' medde Tegwyn, 'ma' fe'n ffrind i fi.'

'Mae'n well i ti ei ddyrnu fe neu mi ddyrna i di,' oedd yr ateb.

Fe ges i un ergyd gan Tegwyn ond roedd hi'n brifo dipyn llai na cholbiadau Miss Evans.

Ac o sôn am Tegwyn, roedd yr hen Hughes *English* ar ganol un wers wedi taro i mewn i'r stordy. A dyma Tegwyn yn dechre codi twrw. Daeth Hughes allan gan ddechre pregethu. '*Tegwyn Lewis, shouting as usual. Now, tell me, boy, what is the feminine for horse?*'

A dyma Tegwyn yn ateb fel ergyd o wn, '*Horsen, sir.*'

Roedd yna rai athrawon ardderchog. Roedd yr hen Jones *Woodwork*, er enghraifft, yn dipyn o gymeriad. Roedd e'n fab i fardd o Fethania, David Jones y Saer, awdur yr englyn campus i'r Corgi.

> Dau glust twt a choes gwta, — ci hirgorff
>   Yw'r corgi ysmala,
>   Gwyliwr bythynnod Gwalia
>   A real deip ar ôl da.

Rwy'n cofio Miss Evans y golbwraig unwaith yn dod at Jones i ofyn am bapur tŷ bach. Roedd yna dŷ bach ar gyfer pob coridor yn yr ysgol ac roedd tŷ bach ei choridor hi wedi rhedeg mas. Y coridor nesaf ati oedd yr un gwaith coed a metel. A dyma hi'n gofyn i'r hen Jones o flaen y dosbarth i gyd, '*J.E., have you any toilet paper?*'

'*No, Mair,*' medde fe, '*but in our department we have plenty of sandpaper.*'

Y drws nesa, cymeriad arall mae'n werth sôn amdano,

y diweddar T. R. Jones, blaenor yng nghapel Blaenplwyf. Ef oedd yr athro gwaith metel. Y peth cynta wnes i erioed yn yr ysgol oedd pocer, ac rwy wedi bod yn procio ar hyd fy oes.

A Jones Maths wedyn. Rown i'n cael clirio lan i hwnnw'n aml. O leiaf roedd e'n dangos diddordeb. Ac rwy'n cofio'r athro cerdd, Dai Griffiths. Roedd rhyw foi bach yn y dosbarth yn methu â chanu 'doh' a dyma fi'n gwthio pin i'w din e' 'Aw!' medde fe. 'Na, na,' medde Dai Griff, 'gofyn am "doh" wnes i.'

Dyna ichi'r athro Cymraeg, W. R. Edwards, neu Jac y Bog wedyn. Fe lwyddodd unwaith i werthu comic *Hwyl* i fi ar y sail fod fy enw i ynddo fe, sef Defi John y Llygoden, gelyn mawr Tomi Puw y Gath. David John Jones yw fy enw swyddogol i, gyda llaw. Dai fyddai Nhad yn fy ngalw i bob amser ond Defi i Wncwl Morgan. A Defi John yn yr ysgol.

Athro arall rown i'n ei hoffi'n fawr yn Dinas oedd T. G. Jones, neu Tomi Penuwch. Un diwrnod own i ddim wedi gwneud fy ngwaith cartre a dyma Tomi'n dod draw. Fe wyddwn i y byddai'n rhaid gwneud rhywbeth ar fyrder i dynnu ei sylw oddi ar y dudalen gwaith cartre wag. Dyma fi'n cael gweledigaeth.

'Mr Jones, fe weles i wyth llwynog neithiwr gyda'i gilydd yn un rhes ar waelod y fron. Ac fe wnes i dynnu'u llun nhw.'

'Bachgen, dyna beth rhyfedd. Ddowch chi â'r llun i fi'i weld e'?'

'Dof, dof.'

Dweud rhywbeth, wrth gwrs, er mwyn ei gael e' i anghofio am y gwaith cartre. Fe weithiodd. Ond diawch, welodd e' byth mo'r llun.

35

Rown i'n dal i chware'r ffidil ac yn aelod o gerddorfa'r ysgol. Fe fydden ni'n chware bob bore yng nghyfarfod defosiynol yr ysgol, a'r tri ohonon ni o Ysgol Llangwrddon yn eistedd gyda'n gilydd, Dai Ty'n Llwyn, Brinli Pengaer a finne, y tri yn aelodau o'r gerddorfa.

Ac o sôn am hynny, fe ddylwn i gyfeirio hefyd at Edwin Andrews, o'r Rhondda yn wreiddiol, oedd yn chwaraewr ffidil heb ei fath ac yn athro teithiol. Roedd ganddo law chwith ryfeddol. Roedd e'n llwyddo i gael rhyw dremolo hudolus allan o'i ffidil. Ac rwy'n cofio amdana i yn ceisio gwneud yr un peth. Cymraeg digon bratiog oedd ganddo fe.

'Dysga di ware cynta,' medde fe, 'cei ti crynu wedyn.'

Rown i'n anghofus iawn ac unwaith y byddai'r wers drosodd, mynd fyddwn i. Ond un diwrnod rown i wedi gadael y gerddoriaeth ar ôl ar y stand, a dyma fe'n dweud, 'Nawr, plant, aros munud. Miwsig pwy yw hon?'

Roedd Edwin yn briod â Mrs M. M. Andrews, prifathrawes ysgol fach Llangwrddon. Fe dderbyniodd hi yr MBE am ei chyfraniad mawr i'w bro, anrhydedd arbennig yn y cyfnod hwnnw. Fe hoffwn i feddwl fod ymdrechion ei gŵr wedi cyfrannu llawer i'r ffaith iddi gael yr anrhydedd hwnnw.

Gan Edwin Andrews fe gawson ni gerddoriaeth heb iddi gael ei thaflu aton ni. Roedd e' fel petaen ni'n gwneud rhywbeth yn wahanol. Meddyliwch, cael cerddorfa a phlant ffermydd Ceredigion yn chwarae ynddi.

Doedd gen i ddim clem mewn pwnc fel syms. Ar ôl gadael a dechre mynd i'r mart gydag Wncwl y gwnes i ddysgu fwya. Yn fuan iawn rown i'n medru gwneud prisiau'r ŵyn i fyny'n hawdd. Doedd dim angen *Ready*

Reckoner arna i. Fe adewais i'r ysgol yn bymtheg oed, er na fûm i ddim yno lawer ar ôl y pedair ar ddeg.

Ar y cyfan doeddwn i ddim yn hapus yn yr ysgol fawr. Nid bod unrhyw beth o'i le ar yr ysgol. Fi oedd yn ddrygionus. Fe fûm i o flaen y prifathro bob diwrnod y bûm i yno, ac ar fy niwrnod olaf fe ddwedes i wrtho fe, 'Fe fyddwch chi siŵr o fod yn gweld fy eisie i. Rwy wedi bod yn ffyddlon iawn i chi gan ddod i'ch gweld chi bob diwrnod y bues i yma.'

Yn rhyfedd iawn, ychydig o wrthdaro oedd 'na rhwng plant y wlad a phlant y dre yn yr ysgol. Roedd yna wahaniaethau rhyngon ni, wrth gwrs. Fe fydden ni'n dweud 'Penparce' a phlant y dre yn dweud 'Penpâki'. Ac roedd rhai o blant y dre fel Dai Rees a Goronwy Edwards â'u gwreiddiau yn y wlad, beth bynnag. Fe fydden nhw'n dal i fynd allan i ffermydd eu tad-cu a'u mam-gu, ac felly roedden nhw'n deall ein ffyrdd ni.

Y tu allan i'r ysgol y byddai gwrthdaro'n fwyaf tebygol o ddigwydd. Fe âi'n ffeit yn aml yn ffair y dre. Wnes i ddim ymladd erioed. Doeddwn i fawr o ymladdwr ond diawch, rown i'n dipyn o redwr.

Y cyfan oeddwn i'n edrych ymlaen ato yn yr ysgol oedd y diwrnod olaf, ac fe fu mwy nag un diwrnod olaf gan y byddwn i'n bygwth yn aml nad awn i byth yn ôl. Ond pan ddaeth y diwrnod olaf go iawn fe ges i ryddhad. Ac rwy'n cofio'n arbennig bedwar ohonon ni, y pedwar mwya drygionus, hwyrach, Tegwyn Rhosgoch, Meirion Jones, Richard Mathews a finne, a'r prifathro yn proffwydo na ddeuai rhyw lawer o lwyddiant i ni. Ond wir, mae'r pedwar ohonon ni wedi gwneud yn reit dda.

Fe adawodd twr ohonon ni Ysgol Llangwrddon am Ysgol Dinas gyda'n gilydd, Meurig Brynbwa, Dai Ty'n

Llwyn a fi, a'r tri ohonon ni'n cael ein pen-blwydd yn yr un mis. Ar ôl dychwelyd o wyliau'r tatws fe fyddai pawb yn yr ysgol yn canu Pen-blwydd Hapus i ni. Rwy'n cofio hyd heddiw y dyddiadau, Dai ar yr wythfed o Hydref, Meurig ar yr wythfed ar hugain a fi ar y deunawfed, y cyfan o fewn deg diwrnod.

Yn gadael yr un pryd â ni'n tri roedd hanner dwsin o ferched, Jean Bryngwyn, Mair Langors, Llywela Treflys, Sheila Penbryn, Ann Cornel a Glenys Penbont. Roedd hi'n golled fawr mewn un flwyddyn i ysgol fach yn y wlad.

Mewn un ffordd, o edrych nôl, mae gen i rai teimladau cynnes am Ysgol Dinas hefyd. Yno, rwy'n teimlo, y dylai plant y wlad fod wedi mynd. Wedi'r cyfan, does dim angen gorddysgu plant y wlad, oes e?

Bro ac Arwyr Bro

Pentre bach ar afon Wyre yw Llangwrddon. A Llangwrddon fydda i'n ei ddweud bob amser. Dyw Llangwyryfon, ei enw swyddogol, yn golygu dim i fi. Yn yr un modd, fydda i byth yn dweud Llanfihangel. Llaningel yw hwnnw i fi.

Ar y bont uwch yr afon y bydden ni, tua naw ohonon ni, yn disgwyl y bws i fynd â ni i'r ysgol uwchradd bob bore. Pam yno, wn i ddim. Yn ymyl roedd ciosg y pentre, yr unig giosg. Ac fe fydden ni'n chware triciau â rhai o bobol y pentre. Doedd dim golau yn y ciosg bryd hynny ac fe fydden ni'n dal cathod y pentre, rhyw ddwsin ohonyn nhw falle, a'u cau nhw yn y ciosg. Fyddwn i yn bersonol ddim yn eu dal nhw. Dal y drws ar agor a'i gau e' fyddwn i gan fy mod i'n ofni cathod.

Mae'r rheswm am fy ofn i o gathod yn un syml iawn. Pan own i'n blentyn bach newydd ddechrau yn yr ysgol rown i'n sâl yn fy ngwely yn y ffliw ac Wncwl ac Anti wedi mynd i'r dre. Fe ddaeth Trefor ac Olwen Maesbeidiog i mewn i chware. Ac wrth gwrs, Trefor gafodd y syniad gwreiddiol o ddod mewn â chath fach a'i thaflu hi ar y gwely. Fe wylltiodd honno ac fe ges i gymaint o ofn fel i fi ei gwasgu hi, a'i gwasgu hi mor galed nes iddi adael ei hôl ar y gwely. Ac mae'n rhaid i fi gyfaddef, fe'i lluchiais hi allan drwy'r ffenest. Ond mae gen i ofn cathod hyd y dydd heddiw.

Mae Llwngwrddon yn bentre bach hyfryd. Mae rhiw

yn arwain allan ohono fe pa ffordd bynnag yr ewch chi. Rhiw'r Eglwys i fyny am y fynwent, Rhiw Capel heibio'r Felin, Rhiw Tan'rallt wedyn neu Riw Capel Bach, Rhiw Ficrej yn mynd allan am y dre, a Rhiw Carnau. Pam Rhiw Carnau? Hwyrach am fod ffermydd mwy o faint ar yr ochr honno a'r ceffylau'n mynd i'r efail i gael eu pedoli.

Roedd yno ganolfannau naturiol fel y felin, gweithdy'r saer ac efail y gof lle byddai 'na ddiwylliant yn llifo. Ac roedd y Cwrdd Bach yn ddigwyddiad o bwys, ymarfer am wythnosau cyn hynny gyda'r corau, y pedwarawdau, yr wythawdau a'r unawdau. Dyna lle cenais i gynta erioed, ar y solo twps, sef unawd i'r rhai heb ennill o'r blaen.

Fe fyddai beirniaid o fri yn dod yno. Rwy'n cofio un flwyddyn John Bryngalem, Bwlch-llan a Mair Meiarth yn ddau feirniad. A nhw'n ein gwahodd ni nôl i Fwlch-llan i gystadlu yn erbyn ein gilydd, Tabor yn erbyn capel Bwlch-llan.

Rwy'n cofio hefyd yr hen Jônsi bach Tregaron, sef E. D. Jones, prifathro ysgol gynradd y pentre hwnnw — athrylith o ddyn — yn beirniadu. Roedd Jones yn hoffi dod â'r Saesneg i mewn bob hyn a hyn. Roedd rhyw ferch o'r enw Muriel yn canu a Jones yn dweud wrthi, *'Muriel, I don't like . . . '* A dyma fe'n cerdded o un ochr i'r llwyfan i'r llall yn ddramatig, a ninnau'n meddwl ei bod hi wedi gwneud rhywbeth ofnadwy. *' . . . Muriel, I don't like your loud singing, Muriel. But Muriel,'* a dyma fe'n tynnu ei sbectol, *'but Muriel, you're lovely when you're soft.'*

Roedd 'na gymeriad arall yn dod i ganu yno'n rheolaidd, hen lanc oedd yn byw gyda'i chwaer, Lil, sef Dai Cnwc, neu Dafydd Evans, Cnwc y Barcud. Rwy'n ei gofio fe'n canu'r emyn-dôn 'Gwalchmai' ar y geiriau 'Caned Nef a daear lawr' yn y Cwrdd Bach ac yn methu'n lân â chael hyd i'r nodyn agoriadol. Roedd e'n ei phitsio hi naill ai'n rhy uchel neu'n rhy isel bob tro. 'Caned . . . ', rhy isel. 'Caned . . . ', rhy uchel. 'Caned . . .', rhy isel eto. A dyma'r beirniad, yr annwyl Dai Williams, Tregaron yn ceisio'i helpu ac yn bwrw'r nodyn ar ei ran e'. 'Caned . . .' A Dai Cnwc yn sbio dros ei sbectol ar Dai Williams a gofyn iddo fe, 'Bachan, fi neu chi sy'n canu?' A dyma'r gynulleidfa'n chwerthin nes eu bod nhw'n dost.

Roedd dwy siop yn y pentre, Siop New-bridge a Siop Commercial, a'r rheiny, wrth gwrs, yn ganolfannau cymdeithasol hefyd. Mae Siop Commercial yno o hyd, lle roedd y Swyddfa Bost. Siop New-bridge oedd siop Wil Woodward. A Siop Woodward oedd honno i ni, bobol yr ardal.

Roedd Wil yn un o'r cymeriadau lleol ac yn gryn arwr. Yn ei siop roedd ganddo fe argraffdy bach. A gydag e' roedd Mrs Wilson yn byw. Un o Lerpwl oedd hi, a ninnau'r hen blant yn methu deall sut medrai rhywun ag enw fel Mrs Wilson fod yn byw gyda Mr Woodward. Hen lanc oedd Wil. Roedd e' siŵr o fod wedi'i gweld hi ar ei drafels ac wedi gofyn iddi symud i mewn.

Un peth oedd yn ein denu ni blant i gyd at Wil Woodward oedd y ffaith ei fod e'n smociwr o fri. Roedd e' bob amser yn smocio *Craven 'A'*. Doeddwn i ddim yn rhyw hapus iawn am ei ddewis o sigaréts gan fod llun pen cath ddu ar y bocs. Nid yn unig roedd e'n smociwr mawr ond roedd e' hefyd yn fath arbennig o smociwr. Fyddai'r sigarét fyth yn gadael gwefus isaf Wil. Fe fyddai'n llythrennol yn hongian ac yn siglo yno fel pendil cloc yn sownd wrth ei wefus. Ac fe fyddai e'n siarad a'r sigarét yn siglo. Mae llawer o'r pethe a ddwedodd Wil wedi mynd yn angof i ni blant am ein bod ni'n syllu ar y sigarét yn hytrach na gwrando. Roedden ni'n cael ein mesmereiddio.

Wil oedd y boi mwyaf modern yn y pentre. Ef gafodd y ffridj gyntaf a phan gyrhaeddodd hi dyma fe'n cyhoeddi wrthon ni, blant, 'Rwy wedi cael ffridj ac fe fydd eis crîm i chi nos yfory. Gofalwch fynd ag arian gyda chi i'r ysgol.' Rwy'n cofio i fi archebu wêffyr, ac os ydw i'n cofio'n iawn y pris oedd chwe cheiniog. Drwy'r dydd fe fu'r arian yn llosgi twll yn ein pocedi ni a ninnau'n methu aros i'r ysgol gau. Ond mae'n rhaid fod yr hen Wil wedi methu cael y tymheredd yn iawn ar ei ffridj. Fe ges i'r wêffyr, do, ond y cyfan oedd gen i tu mewn i'r papur oedd llaeth a dwy fisged. Ond wnaeth hynny ddim gwahaniaeth. Bob tro y byddai arian yn fy mhoced i fe fyddwn i'n mynd i Siop Woodward i brynu eis crîm.

Yn Siop Woodward y clywais i'r stori honno am Siw Penuwch. Roedd hi bob amser yn lliwgar ei gwisg, fel rhyw enfys symudol, ac roedd bag yn hongian wrth ei braich ble bynnag yr âi hi. Roedd Siw yn gwerthu llaeth, dim ond un llond *churn* bob dydd. Yn yr haf, peth anodd iawn oedd cadw llaeth rhag suro yn enwedig pan fyddai'n sefyll ar y stand laeth yn y gwres. Bob dydd fe fyddai llaeth y diwrnod cynt yn cael ei ddychwelyd at Siw gyda label coch arno yn dynodi ei fod e' wedi suro. Ar ôl ychydig ddyddiau fe gafodd Siw ddigon ar hyn ac fe aeth lawr i Felin-fach i'r hufenfa i gwyno.

Fe welodd gweithwyr y swyddfa hi'n dod ac fe wydden nhw fod 'na storm yn agosáu. Felly dyma nhw'n trefnu i ryw is-reolwr bach newydd ddelio â hi. Hen grwt ifanc tua 21 oed oedd e' ac yn edrych yn iau na hynny. Ond yn waeth na dim i Siw, Sais oedd e'. Dyma Siw yn datgan ei hachos ond fe dderbyniodd y bregeth fwya dychrynllyd gan y swyddog bach. Fe rybuddiodd e' Siw y byddai'n rhaid iddi ddysgu cynhyrchu llaeth glân. Roedd Siw wedi bod yn cynhyrchu llaeth drwy'i hoes, felly roedd clywed y fath beth gan ryw grwt ifanc o Sais mewn coler a thei yn ddigon i'w hel hi o'i chof. A dyma hi'n troi arno.

'Look here, my boy,' medde hi. *'You are brilliant at talking. But I want you to understand one thing. Make sure you fasten the safety-pins on your nappy, boy, because you're not going to shit on Siw.'*

Storïau fel yna fyddwn i'n eu clywed yn Siop Woodward ac yno y byddwn i'n mynd ar nos Sadwrn yn hytrach nag i'r dre. Gwrando ar y criw yn sgwrsio, Ifan Williams Rhandir Ucha, Dewi Jones Ffynnon Wen, Dafydd Thomas y Felin, Tom Davies Penglanowen a William Evans Tanglogau. Doedd dim digon o gadeiriau yno felly fe fyddai pawb yn tynnu bocsys pop a'u troi nhw ar eu talcen ac eistedd arnyn nhw. I grwt fel fi roedd cael gwrando ar y cymeriadau hyn yn wledd.

Yr angladd cynta i fi fod ynddo, a finne'n hen grwt yn dal yn yr ysgol, oedd angladd Wil Woodward. Rwy'n cofio hyd heddiw yr arch yn cael ei chludo allan drwy'r ffenest ger drws y siop, ac wrth weld hynny dyna lle'r own i'n meddwl am y dyn oedd wedi cael y ffridj gynta, y dyn a werthodd i fi'r eis crîm cynta, yn cael ei gladdu. Ie, Wil Woodward. Tipyn o foi.

Pobol leol fel Wil oedd fy arwyr i. Ac ymhlith arwyr bore oes hefyd roedd bois y Felin, Joe a Stephen, neu Styfin. Dyna'r ddau boerwr gorau welais i erioed. Yn enwedig Joe. Fe allech chi osod marc yn rhywle ac fe boerai Joe i'w ben e'. Yn wir, roedd hi'n anodd iawn meddwl am y pentre 'ma hebddyn nhw. Yn y Felin y bydden ni'n golchi'r defaid. Eu cerdded nhw i lawr o'r

43

Mynydd Bach a'u trochi nhw ym mhwll y Felin. Roedd llawer iawn o ddŵr yn y pwll ond fe boerodd bois y Felin ddigon i'w lenwi fe sawl gwaith drosodd.

Cnoi baco *Ringers* gorau fydden nhw. Un bore rwy'n cofio criw ohonon ni blant yn crwydro glan yr afon yn chwilio am ddyfrgwn a'r hen Styfin yn sgwrsio â ni gan gnoi baco ar yr un pryd. Fe boerodd i lygad yr ast — ac mae baco *Ringers* yn llosgi. Dyna lle'r oedd yr hen ast yn rhedeg o gwmpas y pentre; fe allech dyngu fod y dilyw wedi dod. Dyma Joe yn cyrraedd ac yn gofyn i Styfin pam wnaeth e'r fath beth? 'Wel,' medde Styfin, 'rown i wedi meddwl poeri i'r gât.' A dyma Joe yn dangos iddo fe sut roedd gwneud hynny gan anelu poerad berffaith rhwng yr estyll.

Dic y Gof wedyn. Nid yn unig roedd e'n of ond roedd e' hefyd yn cario'r post. Pan fyddai ceffyl yn cael ei bedoli yn yr efail fe fydden ni blant yn tyrru yno. Ac fe fyddai stalwyni enwog yn pasio drwodd yn y gwanwyn, y Mathrafal Frenin, Brenin Gwalia, Pentre Eirwen Comet ac yn y blaen.

Roedd 'falau i ryfeddu arnyn nhw yng ngardd Dic y Gof yn Aberdeuddwr, a phan fydden ni yn yr efail fe fydden ni'n gweithio'n galed i fod yn blant da er mwyn cael afal. Un prynhawn, pan nad oedd e' gartre, fe aeth criw ohonon ni draw o'r ysgol i ddwyn 'falau, a dyna'r 'falau gorau i ni eu blasu erioed.

Roedd yno weithdy saer wedyn, gweithdy Edwin James. Ef fyddai'n gwneud coffinau, ymhlith pethe eraill. Roedd un peth hynod iawn am Edwin: os byddai ganddo fe sigaréts, fe allech fod yn siŵr nad oedd ganddo fe fatsus. Ac os byddai ganddo fe fatsus, fe allech fod yn siŵr nad oedd ganddo fe sigaréts. Pan fyddai e' angen tân a rhywun yn digwydd dod i mewn yn smocio fe fyddai e'n cofleidio hwnnw wrth osod blaen ei sigarét ef ar flaen sigarét hwnnw. Ac wrth dynnu, fe fyddai e' hefyd yn gwasgu nes byddai'r sigarét yng ngheg y llall yn camu rhwng ei wefusau fel marc cwestiwn.

Cymeriad arall oedd Mari Langors. Roedd Mari bob amser yn clicio'i thafod yn rheolaidd fel tician cloc. Petaech chi'n ei gweld hi yn y siop, falle, a gofyn iddi, 'Shwd ŷch chi heddi, Mari?' fe'i clywech hi'n gwneud sŵn â'i thafod cyn ateb, 'Clic, clic, clic, clic. Watsha di, gwas.'

Rwy'n cofio un noson, fi ac Erfyl Llaindelyn yn cerdded ar hyd yr hewl ac yn clywed sŵn clician yn dod o'r cae nesa. Roedden ni'n meddwl mai lectric ffens oedd yno, a dyma benderfynu, o ran diawlineb, mynd i'r cae i'w throi hi bant. Ond pan aethon ni i'r cae fe glywson ni lais yn gweiddi o rywle, 'Be' chi'n mo'yn fan hyn?' Fe gawson ni ofn dychrynllyd. Ond Mari Langors oedd yno yn clicio'i thafod.

Cymeriad mawr am dynnu'n coesau ni'r plant oedd Ned Jones, neu Ned y Llain. Un o fois yr hewl oedd Ned ac fe fyddai e'n cellwair drwy ddweud mai â'r bilwg roedd e'n siafo yn y bore. Dyna lle byddai e' yn dal ei drwyn ac yn esgus siafo â'r bilwg o'n blaen ni. Ac wrth gwrs, roedden ni'n ei gredu.

Ond roedd un peth am Ned, roedd e'n ofni mellt a tharanau. Mellt yn arbennig. Pan ddeuai storm o fellt a tharanau fe osodai ei ben i orffwys ar sedd ei feic a rhoi ei gôt dros ei ben. Roedd e'n gwneud hynny un prynhawn ynghanol storm pan sylwodd cymydog arno fe. Dyma hwnnw'n mynd draw yn dawel bach ac yn rhoi slap ar ei ben ôl e'. 'Damo,' medde Ned, 'roedd honna'n agos.'

Doedd dim llawer o Saeson yn byw yn yr ardal yr adeg

honno. Rwy'n cofio Lisi Pengelli — fe fyddwn i'n galw'n aml ym Mhengelli i weld Lisi Morris a'i brawd Owen — hen ferch a hen lanc oedd yn byw gyda'i gilydd. Roedd gan Owen ddefaid pennau-brithion, neu *Speckleface*. Ac roedd hynny'n beth mawr gan mai dim ond defaid Cymreig oedd gan bawb bryd hynny.

Rwy'n cofio unwaith pan own i'n hen grwt yn helpu Owen a chael mynd i'r tŷ am gwpaned o de. Roedd perthynas i Lisi wedi cyrraedd Pengelli gyda'i nith. Roedd hi wedi dod o ganol Llunden ac yn Saesnes ronc. Dyma Lisi'n gofyn iddi a oedd hi'n barod am de.

'*Oh, yes,*' medde hi, '*but be very careful. Make sure I have just a dash of sugar in the bottom of the cup. And I would like it very weak with just a spot of milk on top.*'

Dyna lle'r oedd Lisi yn dal y tebot anferth yma, tebot tŷ ffarm. Ar ôl y '*spot of milk on top*' dyma Lisi'n sbïo arni a gofyn, '*Any particular speed from the teapot?*'

Wedi i Trefor fy mrawd fynd yn ôl i Lunden fe fûm i'n teimlo'n unig am gyfnod. Ond yn ffodus iawn roedd gen i dri chefnder a chyfnither yn byw ym Mrynchwith, hen gartre Nhad, sef plant Wncwl Dan ac Anti Jane. Roedd Islwyn, Mair, Trefor a Ceredig a finne yn agos iawn at ein gilydd, mor agos fel i fi eu hystyried nhw fel brodyr a chwaer. Rwy'n dal i feddwl hynny amdanyn nhw.

Fe fyddwn i ym Mrynchwith byth a hefyd. Rwy'n cofio mynd yno unwaith pan oedd Islwyn, fy nghefnder, yn sâl yn y frech goch a'i rieni wedi mynd i'r dre. Doedd dim tŷ bach yn y tŷ, wrth gwrs, a rhaid oedd mynd allan neu ddefnyddio'r pot o dan y gwely. Gan fod Islwyn yn sâl, dim ond y pot oedd amdani ac roedd hwnnw bron yn llawn.

Ar y pryd, yn dod am ddim mewn bocsys *Cornflakes*

roedd modelau bach o longau plastig. A dyma Islwyn a finne yn chware ag un o'r llongau bach yma drwy ei hwylio ar wyneb y pot. Yna, ar ôl blino ar y chware, yn gwthio'r pot yn ôl o dan y gwely.

Fe aethon ni ati wedyn i chware cwato. Yn anffodus, doedd Islwyn ddim wedi gwthio'r pot yn ddigon pell o dan y gwely ac wrth iddo fe ddod allan o'i wely fe gamodd ar ymyl y pot a'i ddymchwel nes i'r cyfan lifo ar hyd llawr y stafell wely. Fel pob tŷ ffarm bryd hynny doedd yna ddim llawr *tongue and groove*, dim ond styllod wedi'u gosod ochr yn ochr â'i gilydd. Dyma gynnwys y pot yn dechrau dod drwodd a diferu lawr i'r gegin. A dyna lle'r oedd Islwyn yn ceisio sychu llawr y llofft tra own i lawr yn y gegin yn sychu'r llawr â mop cyn i Wncwl ac Anti ddod adre. Diolch byth mai llawr llechen oedd i'r gegin.

Roedd teulu Nhad bron i gyd wedi dewis aros yn yr ardal. Ar wahân iddo ef ac Wncwl Wil, roedd ei frodyr a'i chwiorydd i gyd wedi aros yn y cylch. Plant oedden nhw i John a Mari Jones, Brynchwith, teulu amaethyddol. Mae gen i frith gof am Mam-gu Brynchwith yn gwylio cyw bach oedd yn dioddef o ryw glefyd neu'i gilydd, a hithau wedi ei osod mewn hen hosan o flaen y tân i gynhesu. Mae'r lle tân hwnnw'n a'r hen graen i godi'r tegell a'r crochanau yn dal yno heddiw.

Fe godwyd deg o blant ym Mrynchwith. Morgan oedd yr hynaf, wedyn William, John, Dic, sef Nhad, Daniel, Defi, Gilbert a'r ieuengaf, Trefor. Wedyn roedd Anti Lisi ac Anti Jane. Fe fu farw Wncwl Trefor yn 21 oed ac yn rhyfedd iawn fe gollwyd nifer o'r lleill pan oedden nhw tua 46 oed. Fe fu farw yr olaf o blant Brynchwith, sef Wncwl Dan, y llynedd yn 85 mlwydd oed.

Fe drodd Anti Lisi, gyda llaw, yn Bodo Lisi a hynny

oherwydd Ceredig, fy nghefnder. Pan oedd e'n fach roedd rhyw ychydig o atal dweud arno fe ac roedd hi'n haws ganddo ddweud Bodo Lisi yn hytrach nag Anti Lisi. Ond hyd yn oed wedyn fe fyddai e'n cael trafferth. Pan fyddai e'n cwmpo mas â'i dad a'i fam fe fyddai'n bygwth, byth a hefyd, y byddai'n dianc at 'Bo-bo-bodo Lisi.'

Roedd Ceredig, a finne hefyd, yn cael mynd ar ein gwyliau at Bodo Lisi ac Wncwl Jim i Benty Parc yn Llanilar. Fel Wncwl Morgan ac Anti Hannah, roedden nhw'n ddi-blant ac yn falch ein cael ni draw yno. Gwas, neu i fod yn fanwl gywir, cowman oedd Wncwl Jim ar stad Castle Hill. Ac ar ddydd Sul yn aml fe gawn i fynd draw i Waun Gron i weld y da bach a'r defaid ac yna i lawr gyda'r nos i Castle Hill, fferm fawr o'i chymharu â Ty'n Cefen, i odro'r gwartheg *Ayrshire*.

Os byddwn i'n mynd draw i Benty Parc a Bodo Lisi heb fod gartre fe fyddwn i'n sgrifennu wedyn ar lechen carreg y drws, honno'n un las. Roedd darn o sialc yn cael ei gadw o dan y ffenest. Rhyw gytundeb bach ymlaen llaw oedd hwn rhyngon ni a Bodo Lisi. Un diwrnod roedd Ceredig, pan oedd e' tua phump oed, wedi mynd draw a Bodo Lisi ddim gartre. A dyma'r hen grwt yn sgrifennu ar garreg y drws, 'Ceredig wedi b-b-b-bod.' Roedd tua thair 'b' o flaen y 'bod'. Oedd, roedd e'n sgrifennu yr un fath ag oedd e'n siarad.

Ond i fynd nôl i Frynchwith, fe fyddwn i'm mynd yno'n aml iawn yn blentyn. Doedd yno ddim toilet bryd hynny ac rwy'n cofio'n iawn bron marw eisie mynd i'r tŷ bach. I wneud pethe'n waeth, nid 'number one' own i am ei wneud ond 'number two'. Argol mawr, dyna brofiad. Eisie mynd, eisie mynd yn ofnadwy, a'r hen blant drygionus yn gwrthod gadael llonydd i fi. Rhyw esgus

48

mynd a chuddio. A phan fyddwn i'n meddwl eu bod nhw wedi mynd fe glywn i ryw 'Hi-hi-hi' yn dod o du ôl i goeden ddraenen. Wrth gwrs, fe aeth yn sgyrsions. A do, fe ddigwyddodd y drychineb. Rwy'n cofio Anti Jini'n gorfod fy nglanhau i ar fy nhraed o flaen y tân ar ben y *Welsh Gazette* fel bod popeth oedd yn disgyn ar y top yn medru cael ei daflu i'r tân. Ond y chwerthin mwyaf gafodd y plant oedd y ffaith nad oedd trôns sbâr ar fy nghyfer. Y canlyniad oedd i fi orfod gwisgo nicyrs glas Mair i fynd adre tra byddai fy nillad i yn y golch.

Yn yr ysgol wedyn doedd dim cloeon ar ddrysau'r tai bach. Roedd rhaid mynd â ffrind i sefyll y tu allan i gadw golwg ar y drws. Os oedd hi'n bwrw glaw roedd rhaid i hwnnw ddod mewn. Ond credwch chi fi, y tu allan oedd hi iachaf.

Ffermio wnaeth pawb o deulu Nhad ar wahân iddo ef ac Wncwl Wil. Fe fu Wncwl John, a fu farw'n 46 oed, yn ffermio ym Mynydd Brith, Blaenpennal. Wncwl Dai, Penrhiw wedyn. Fe fyddwn i'n treulio tipyn o amser gydag Wncwl Dai. Roedd e'n dipyn o arwr gen i. Ef oedd y dyn cryfaf welais i erioed. Roedd gan Wncwl Dai ddwy ferch, Eirian, sy'n briod ag Aled Wyn Williams, ficer Llanddewibrefi ac Evelyn, a briododd ag Islwyn Morgan, Nant y Berws, cyn-brifathro Ysgol Pontrhydfendigaid.

Fe fyddai Wncwl Dai yn gwneud llawer o arddio masnachol ac rwy'n cofio cael mynd gydag e' ar y tractor â llwyth o lysiau i'r dre. Moron, tatws, betys, popeth, ac Wncwl Dai oedd yn eu tyfu nhw i gyd. Dim ond rhyw bedair milltir o'r dre oedd Penrhiw ac fe fydden ni'n mynd â'r sachau o lysiau i siopau'r dre ben bore.

Taith arall y byddwn i'n edrych ymlaen amdani'n eiddgar oedd ymweliad â sêl ddefaid Pontarfynach bob haf. Rwy'n cofio mynd un flwyddyn mewn car, Dai Ty'n Llwyn, ei chwaer Lisa a finne y tu ôl a thad Dai, William Jones yn gyrru a'r hen Huw Williams, Pant y Barwn yn eistedd gyda e' y tu blaen. A chael gwrando ar y ddau yma yn siarad am ddefaid. Rown i'n hoff iawn o gymeriadau fel hyn o'r cychwyn cynta. Ac mae hyn yn rhyfedd, os oedd rhyw chware neu'i gilydd yn yr ysgol neu yn y pentre a finne'n gweld dau neu dri o bobol leol wedi ymgynnull i sgwrsio, atyn nhŵ, bobol mewn oed, y byddwn i'n tynnu bob tro. Roedden nhw mor wreiddiol, mor ddoniol yn eu dywediadau, ac fe wnaeth llawer o'r dywediadau hynny fachu ynof i byth wedyn.

Fe fu farw Bodo Lisi, fel Wncwl John, yn 46 mlwydd oed. Anti Jane wedyn yn marw yn yr union oedran. Hen ferch gartre ym Mrynchwith oedd hi a does gen i fawr o gof amdani. Bron yr unig beth fedra i gofio amdani oedd ei bod hi'n fenyw fawr.

Yn wir, roedd aelodau teulu Brynchwith, y bechgyn yn arbennig, i gyd yn deulu mawr, cyhyrog. Pawb, hynny yw, ar wahân i Nhad ac Wncwl Morgan. Roedd Wncwl Gilbert yn denau, falle, ond roedd pawb arall yn fawr. Ar ben hynny, bach neu fawr, roedd gan deulu Brynchwith i gyd foliau sylweddol. Rwy'n cofio rhywun yn edliw hynny wrth Wncwl Morgan. 'Bachan, bachan, be' ti'n 'neud â'r bola mawr 'na?' Ac yntau'n ateb, 'Does dim byd o'i le mewn cael bola mawr. Cofia di mai o dan y geulan mae'r pysgod mwya.' A dyna be' dwi'n leicio'i feddwl hefyd.

Fe fyddai'n amhosib peidio cynnwys enw Wncwl Morgan ymhlith arwyr fy mhlentyndod. Roedd e'n un cyflym gyda'i ateb. Rwy'n cofio rhywun yn dod i werthu glo o Lanrhystud Road. Dyna oedd enw'r Rheilffyrdd

50

Prydeinig ar stesion Llanfarian. Roedd pawb arall yn prynu glo o'r Co-op ond roedd y dyn o Lanrhystud Road yn briod â rhyw berthynas i Anti Hannah. Felly gyda hwnnw y bydden ni'n prynu glo. Dyma rywun yn gofyn i Wncwl un diwrnod, 'Sut lo yw e', Moc?'

'Glo i ryfeddu, machgen i,' medde Wncwl.

'Ie, iawn,' medde'r holwr, 'ond sut lo yw e' i'w gynnau? Dyna'r prawf o lo da.'

'Cynnau?' medde Wncwl. 'Bachgen, bachgen, mae'n rhaid i ti fod yn ofalus. Pan fydd angen glo ar y tân mae'n rhaid i ti ei dowlu o bellter neu fe gynheuith y rhaw.'

Roedd ganddo fe ateb parod bob tro. Lewis Maesbeidiog yn dod draw ar ddiwrnod dyrnu. Roedd Wncwl ag enw fel bwydwr da i'r creaduriaid. O weld nifer y sgubau yn isel iawn dyma Lewis yn dweud, 'Bachgen, bachgen, Moc. Rwyt ti wedi bwyta ar y sgubau 'ma'n drwm. Dyw hi ond yn fis Hydref.'

Nawr, dim ond ychydig o wartheg godro gaeaf oedd gan Lewis a dyma Wncwl Morgan yn ateb, 'Llawer a fwytânt lawer, 'machgen i.'

Pobol ceffylau oedd teulu Brynchwith ac roedd gan Tad-cu fagwrfa geffylau enwog, y Wyre Stud. Yno y magwyd y Wyre Star a'r Wyre Princess. Fe fydden nhw'n ennill yn y sioeau i gyd. Roedd gre gref iawn ym Mrynchwith, wedi'i henwi, wrth gwrs, ar ôl afon Wyre. Ac erbyn heddiw mae'r cobyn Cymreig wedi ennill ei barch ar draws y byd i gyd.

Un o'm harwyr mwya i yn y cyfnod cynnar oedd Moc Tanglogau. Fe fyddwn i'n mynd i Danglogau bob cyfle gawn i. Hela tatws yno, cwmpo swêds, cwmpo mangyls, mynd i'r cneifio i dendio llinynnon. A Moc fyddai'r arwr.

Fe fyddai e'n rhoi o'i amser i siarad â fi. 'Dyna ti, achan, fe gei di hwn 'da fi, achan.'

Roedd Moc yn iau na'r ffermwyr eraill oedd o gwmpas, a hynny, siŵr o fod, oedd un rheswm am y ffaith fy mod i'n teimlo'n agos ato fe. Hynny, a'r ffaith ei fod e'n edrych fel porthmon go iawn gyda'i gôt felen a'i bastwn. Roedd ganddo fe hefyd ddiddordeb mawr mewn cŵn defaid.

Ac yn Nhanglogau y digwyddodd un o achlysuron mwyaf cyffrous fy mhlentyndod, dyfodiad y fuwch *Friesian* gynta i'r ardal. Fe ddaeth, ac fe gofiaf yr enw tra bydda i byw, o'r Kenneth Beeston Farms yn Swydd Amwythig. Roedd Moc wedi dweud y byddai'r fuwch yn dod mewn lori fawr o Loeger a hynny cyn dydd Sul. Mawr fu'r disgwyl, ac un noson odro, ar nos Fercher, dyma glywed y sŵn trwm yma'n dynesu. Lori anferth oedd hi a goleuadau drosti i gyd. Wrth iddi ddynesu dyma fedru darllen y geiriau hudolus Kenneth Beeston Farms ar ei phen blaen.

Nôl â fi ar ras a gweiddi ar Wncwl Morgan, 'Rwy'n mynd lan i Danglogau. Mae'r *Friesian* wedi dod.' Fe redais i ran o'r ffordd ar ôl y lori ac yna tynnu plet drwy Gae Llainwen, fyny drwy Gae Llwybyr a lan eto drwy Gae Ddwygraig. Rown i yn Nhanglogau o flaen y lori, mewn pryd i gyhoeddi wrth Moc fod y *Friesian* ar y ffordd. A Moc, ar hanner godro, yn dweud, 'Bachgen, bachgen. A finne'n meddwl dy fod ti ofn y nos.' Dyna pryd y cofiais i hynny. Own, rown i'n ofni'r nos lawn gymaint ag yr oeddwn i'n ofni cathod. Ond yn yr holl gyffro rown i wedi anghofio fy ofn.

Rwy'n cofio'r fuwch *Friesian* yn dod allan o'r lori. Dyna olygfa. Yn grwt ysgol roedd gen i dipyn o ddiddordeb mewn gwartheg *Friesian*. Un noson pan oedd Moc yn ei

52

godro hi, dyma fi'n cofio am rywbeth rown i wedi'i weld mewn llyfr a gyrhaeddodd gyda'r siec laeth. Llun tarw oedd e', tarw crand iawn. Ei enw fe oedd Fennington Max Duplicate. Wedi ymgolli'n lân yn rhamant y fuwch dyma ddweud wrth Moc, 'Wyt ti'n gwbod be' ddylet ti roi i hon nawr? Y tarw newydd 'na sy' gan yr AI, Fennington Max Duplicate.'

'Dyna ti, Dai bach,' medde fe'n bwyllog, 'fe gaiff hi'r Duplicate, does dim dowt.'

Wn i ddim a gafodd hi'r Duplicate, ond yn sicr fu 'na erioed 'duplicate' o Moc Tanglogau nac arwyr eraill fy mhlentyndod. A fydd 'na byth 'duplicate' o fro Llangwrddon.

Y Ffermwr Ifanc

Gadael Ysgol Dinas adeg gwyliau'r Nadolig pan oeddwn i'n bymtheg oed oedd un o'r teimladau gorau ges i erioed. Dyna brofiad hyfryd, a phawb arall yn mynd yn ôl i'r ysgol wedi'r gwyliau, oedd gweld yr hen fws o fuarth Ty'n Cefen yn dringo fyny Rhiw Ficrej a gwybod fod gen i bellach hawl swyddogol i beidio â bod arno fe.

O ran cyflog, y telerau oedd dwy bunt yr wythnos. A beth bynnag a brynai Wncwl Morgan i fi, fe âi hwnnw lawr ar y llyfr bach a'i dynnu allan o'r gyflog, a Nhad wedyn ar ddiwedd y mis yn talu'r gwahaniaeth. Hynny yw, os oedd 'na wahaniaeth i'w dalu.

Fis Hydref cyn gadael yr ysgol rown i wedi cael mynd fyny i Lunden i'r *Dairy Show*. Roedd hynny'n gyfle i gael dillad newydd ar gyfer mynd allan i gyfarfodydd y Ffermwyr Ifanc ac i ddigwyddiadau eraill gyda'r nos. A dyna braf oedd cael taflu'r hen ddillad ysgol, y siaced a'r trowsus llwyd, y cap a'r crys llwyd a'r tei lliw melyn a du i'r bin.

Lan yn Llunden rwy'n cofio Mam yn prynu *sportscoat* i fi, a finne'n dod nôl adre'n teimlo'n dipyn o foi. Y noson honno, ar nos Iau, roedd 'na gyngerdd yng Nghapel Tabor gyda'r Ffermwyr Ifanc, a fi oedd i dalu'r diolchiadau. Fe fues i am oriau yn y drych yn paratoi.

Wedyn roedd Nhad am gael dillad gwaith i fi, eto yn Llunden. Ond rown i'n teimlo'n gryf yn erbyn hynny. Fe wyddwn i mai i'r *Army and Navy Stores* yr âi e' â fi.

Ond doedd dillad y fyddin ddim yn ddigon da. Rown i eisie dillad ffarmwr go iawn. Yr unig beth a brynais i yno oedd beret, yr un fath ag un Sioni Winwns.

Ond fe ges i arian gyda Nhad i brynu'r dillad ac roedd gen i fwy o barch i'r rheiny nag i unrhyw beth arall a brynais i erioed. Rwy'n cofio'u prynu nhw gan ddyn oedd yn teithio o gwmpas mewn fan, Davies Bon Marche o Lambed. Fe brynais i drowsus rib, crys, macyn coch a chôt fach las.

Wedyn roedd angen pâr o sgidie cryfion. Fe brynais i'r rheiny, sgidie hoelion o liw brown, gyda Dai Pugh, Stag's Head, aelod o barti o frodyr a'u teuluoedd a arferai fynd o gwmpas i ddiddanu mewn neuaddau cefn gwlad.

Wedi cael y tacl i gyd rown i'n teimlo fy mod i'n dipyn o ffermwr. Roeddwn i eisoes yn gyfarwydd â gwaith ffarm gan i fi fod wrthi er pan own i tua deuddeg oed. Roedd ganddon ni un gwas, Dai Royal Oak, Llanrhystud. Ac wedyn roedd ganddon ni ddyn mewn oed, Tom Davies, neu Tom Troed-foel. Os na fyddai e' wedi bod yn y capel ar ddydd Sul fyddai Tom ddim yn trafferthu ymolchi na siafo. Ac fe fyddai 'na hen gymeriad yn galw gyda ni bob dydd Sul, Joe Brynbeidiog. Fe fyddai Joe bob amser yn gwisgo britsh a legins, mwstashen yr un fath ag un Jimmy Edwards ganddo fe ac fe fyddai'n dod bob bore dydd Llun i nôl y papur Sul, y *People*, ar ôl i ni orffen ag e'.

Pan alwodd Joe un bore dydd Llun roedd rhyw swyddog o'r swyddfa yswiriant wedi galw, y dyn oedd yn gyfrifol am stamp y *National Health*. Dyma hwnnw'n gofyn a oedd Mr Davies yno. Fel roedd hi'n digwydd, roedd Tom yn carthu o dan y moch, a dyma Joe yn ateb, '*Yes, Mr Davies is cleaning under the pigs. And Mr Davies is the one with the cap.*'

Ac mae hynna'n galw i gof stori am Sais wedi dod i ffermio i Lwynbedw, Mr Lovell. Roedd yr hen Lovell yn bwriadu gwneud gwyrthiau. Roedd e' wedi byw yn Lloeger ac wedi dod i Gymru gan feddwl ein bod ni i gyd braidd yn dwp. Ddechrau Mis Bach un flwyddyn dyma Lovell yn mynd ati i aredig tir gwndwn, hynny yw, tir glas. A dyna lle'r oedd ei fab yng nghyfraith yn gosod tatws o dan y tyweirch a hithau'n rhew caled.

Doedd gan Joe ddim syniad beth oedd yn digwydd felly dyma fe i lawr i'r cae a gofyn i Lovell beth yn y byd oedd e'n wneud?

'*Wel, I'm planting potatoes,*' meddai hwnnw.

'Duw,' meddai Joe, '*you do realise that it's only the beginning of February?*'

Yes,' meddai Lovell. '*In England I've seen farmers getting eighteen tons to the acre like this.*' A Joe yn ateb, '*You'll be bloody lucky to get eighteen potatoes here.*'

Beth bynnag, fe adewais yr ysgol ac ar ôl y Nadolig dyma ddechre gweithio. Roedd hi'n berfeddion gaeaf. Y gwartheg i gyd yn sownd wrth eu gyddfau yn y beudai. Doedd dim dŵr ganddon ni o flaen y gwartheg a chyda fy mod i'n gadael yr ysgol fe gyrhaeddodd peiriant godro. Hyd hynny fe fyddwn i'n godro â dwylo. Ond dyma'r peiriant yn cyrraedd, dau uned *Alpha Laval*.

Fe fyddwn i'n troi'r gwartheg allan i'r dŵr bob dydd. Roedd pistyll bach wrth ymyl y ffordd a'r gwartheg yn cael mynd lawr fesul dwy gan mai dwy fyddai yn y côr gyda'i gilydd o hyd. Fe fydden ni'n carthu'n fras cyn godro ond wrth iddyn nhw fynd lawr at y pistyll fe fyddai hynny'n rhoi cyfle i ni lanhau odanyn nhw. Brwsio mas odanyn nhw, brwsio'r manjeri'n lân a golchi'r sodren y tu ôl iddyn nhw a gosod gwellt sych odanyn nhw. Fe fyddai dwy yn dod yn ôl o'r ffynnon i'w clymu a dwy arall yn mynd i'r dŵr. Ond cyn iddyn nhw gael dod nôl fe fyddwn i wedi gosod bwyd o'u blaen nhw, a'r bwyd hwnnw oedd *chaff*, mangyls neu swêdj wedi'u pylpio, triog a blawd a bran. Fe fyddwn i wedi cymysgu'r cyfan â fforch a'i gario fe mewn bwcedi. Yn aml iawn fe gâi'r gwartheg oedd newydd fwrw lloi sucan dŵr poeth ar ben y cyfan er mwyn cael y gorau allan ohonyn nhw.

Er fy mod i'n mwynhau roedd y gwaith, yn enwedig yn y gaeaf, yn galed. Carthu â berfa yn yr oerfel. Dim sôn am *muck loader*. Bob bore dydd Sadwrn roedd gofyn tacluso'r domen. Bob dydd fe fyddwn i'n gwthio'r ferfa ar hyd plancyn i ben y domen. Wedyn ar fore Sadwrn, codi'r plancyn a gwastoti'r dom yn sgwâr ac ailosod y plancyn yr ochr arall. Roedd y domen mor sgwâr gen i nes ei bod hi fel tas wair. Roedd y tail dipyn sychach a haws ei drin na'r tail gewch chi heddiw. Heddiw mae e' fel grefi ond roedd gwartheg yn domi fel doncis bryd hynny.

Gorchwyl nosol, waeth beth fyddai'r tywydd, oedd golchi'r ferfa a'i gosod â'i handlau fyny yn erbyn wal y beudy. Golchi'r rhaw a'r brwsh a'r bicwarch hefyd. Nhw oedd y prif arfau. Glanhau'r buarth wedyn unwaith yr wythnos. A chan mai fi oedd yr ieuengaf, fi fyddai'n gwneud gwaith y gwas bach. Dai a Tom oedd yn gwneud y gwaith arall.

Roedd moto beic gan Dai ac rown i wedi colli 'mhen yn lân arno fe. BSA 250 oedd e', wedi'i brynu yn garej Gwalia yn Aberystwyth, FEJ rhywbeth-neu'i-gilydd. Un diwrnod rown i'n eistedd ar y beic oedd ar ei stand yn y sgubor tra oedd Dai a Tom allan naill ai'n ffensio neu'n tocio perthi. Rhyw esgus reidio own i a gwneud sŵn moto beic. O dipyn i beth fe es i'n fwy echon ac fe startodd y beic. Fe ges i gymaint o ofn fe eisteddais nôl. A diawl, roedd e' yn ei gêr ac fe gydiodd yr olwyn ôl. Dyma fe bant gan lamu fel march i ganol y *chaff*. Diawch, fe ges i ofn. Anghofia i byth mo'r profiad tra bo fi byw. Ond dwtshes i ddim â'r beic byth wedyn.

Roedd ganddon ni ail ffarm, Troed y Foel yn Nhrefenter. Fe fyddwn i'm mynd fyny yno ar gefn y poni ddu gyda Scott a Prince, y cŵn defaid. Rown i'n un ofnadwy am siarad â phobol. Fe fyddwn i'n pasio Maesbeidiog. Neb fan hynny gan eu bod nhw'n brysur allan yn y caeau. Yn nes ymlaen fe welwn Wil a Cato ym Mhant Teg. Sgwrs, wrth gwrs. Symud ymlaen wedyn. Neb i'w gweld yn Llwyn Bedw na Gwar Nant. Roedd cŵn cas yng Ngwar Nant bob amser gydag Ifan Bailey, a chlustiau'r poni ddu yn codi wrth fynd heibio.

Fyny rhiw Llwyn Bedw ac ar y brig roedd tyddyn bach, Penllwyn Bedw, y tŷ ar y dde a'r adeiladau eraill ar y chwith, lle bach yn cadw tair buwch. Dau frawd a chwaer oedd yn byw yno. Hen ferch oedd Catrin a'i brodyr Jâms a Tom. Roedd Tom yn was gyda Mati yn Nhŷ Nant, Llangwrddon. Felly dim ond Jâms a Catrin fyddai yno. Fe fyddai'r sgwrs yma bob amser yn un hir, yr hen boni fach yn pori ochr y ffordd a ninne'n siarad.

Roedd shetin o flaen y tŷ, dipyn yn uwch na'r ffordd, ac fe wnes i ddychmygu droeon beth ddigwyddai petai'r hen Jâms wedi dod lawr drwy'r shetin. Fe fyddai wedi disgyn ar ei ben ar y ffordd. Ond plygu ei ben i mewn i'r shetin wnâi Jâms wrth wrando. Ac roedd ganddo fe ryw chwerthiniad arbennig iawn, rhyw hi-hi-ha-ha-ho-ho-hi-hi.

Ac am Catrin, petai bom yn ffrwydro wrth ei hymyl

wnâi hi ddim cyffro. Gwraig lonydd yn siarad yn araf a phwyllog oedd hi ac fe fyddai hi a'i brawd wrth eu bodd yn cael sgwrs.

Fyny â fi wedyn am bentre Bethel, neu Drefenter i roi iddo'i enw swyddogol. Enw'r capel oedd Bethel. Sgwrsio â Beti a Neli Ty'n Ddraenen a'r hen Edwin Rowlands. Roedd Edwin wedi bod yn ganwr o fri, yn faswr, ac fe fyddai'n dweud wrtha i am yr hen eisteddfodau yr arferai e' eu dilyn gan ganu'r 'Inchcape Bell' a 'Balthasar' a hefyd 'Niagara'.

Ar ôl sgwrs yno, ymlaen i Faes yr Haf at Miss Evans. Anaml y dôi hi i'r golwg ond pan ddôi hi fe fyddai bob amser yn gwisgo dillad glân a'i gwallt hi'n wyn fel yr eira. Dim ond ar Ddydd Calan y byddwn i'n sicr o'i gweld hi wrth i fi ganu calennig neu ar ambell ddiwrnod braf iawn yn yr haf.

Ymlaen wedyn a gweld Mari Waen Gron, a'r teulu Rowlands ym Mhendre a oedd yn deulu o fwtsieriaid. Ianto Rowlands oedd y cymeriad mawr, bob amser yn tynnu coesau plant. Fe gnociodd rhyw yrrwr lori ar y drws unwaith ac roedd tatŵs dros ei fraich yn drwch. Ac Ifan yn dweud, 'Bachan, rwy'n cofio bod yn yr Armi a diawl roedd 'na foi yn y bath a thatŵs o ddynion ar gefen ceffylau yn dod dros ei war e' a lawr ar hyd 'i gefen e'. Ac o hanner 'i gefen e' lawr roedd cŵn hela llwynogod yn mynd o flaen y ceffyle. A diawl, roedd llun cynffon y cadno yn mynd mewn i dwll 'i din e'.'

Cyrraedd Troed y Foel wedyn ar ôl oriau o sgwrsio ar hyd y ffordd. Ac ar ôl cyrraedd, rhoi tamaid o wair allan i'r gwartheg a'r defaid.

Yn gymdeithasol doedd dim llawer i'w wneud i grwt ifanc fel fi. Cyn belled ag yr oedd Wncwl ac Anti yn y cwestiwn doedd dim bod allan ar ôl deg o'r gloch y nos i fod. Ond fe gawn i fynd bob nos Iau i gyfarfodydd Clwb y Ffermwyr Ifanc.

Fe fyddai'r Clwb yn dechre am wyth. Ond roedd un peth ynglŷn â Chlwb Llangwrddon, doedd dim mynd adre yn hanes yr aelodau. Dic a Blanche Rhosgoch oedd yn gofalu am Neuadd yr Eglwys ac fe fyddai'r ddau yn cynnau tân. Heb air o gelwydd, rwy'n siŵr y bydden nhw'n rhoi llond whilber o lo ar y tân, a doedd dim dichon mynd oddi yno nes byddai'r tân hwnnw wedi diffodd. A chan fod yno danllwyth o dân ar lawr yno, a blocyn derw y tu cefn iddo, doedd dim posib iddo ddiffodd tan oriau mân y bore.

Doedd dim llawer ohonon ni mewn oedran cystadlu. Ond gan fod yno gymaint o aelodau hŷn fe fydden nhw'n cael darlithwyr o safon i ddod yno. Rwy'n cofio, fwy nag unwaith, cael y fraint o wrando ar Llwyd o'r Bryn yno, ac mae'n bosib iddo fe fod yn gyfrifol am i fi lynu gymaint wrth gefn gwlad. Roedd e'n werinwr heb ei ail. Ac am ei storïau, fedrwn i ddim clywed digon ohonyn nhw. Fe fyddai e'n sgrifennu bryd hynny hefyd yn y *Welsh Farm News*.

Hefyd Bob Owen Croesor, dyn bach, gwyllt ac Wdbein yn ei geg. Roedd e'n waeddwr heb ei ail. Erbyn heddiw mae rhywun yn gwerthfawrogi'r ffaith fod y bobol hyn ymhlith y pwysicaf o werin Gymraeg eu cyfnod.

O blith Y Tri Bob, chefais i erioed y cyfle i gwrdd â'r trydydd, Bob Tai'r Felin. Fe fyddwn i wedi rhoi unrhyw beth am gael cwrdd â hwnnw. O edrych ar luniau o Nhad-cu, tad fy nhad, mae'i wyneb e'r un ffunud â wyneb Bob Tai'r Felin.

Roedd un anfantais fawr yr adeg honno pan fyddwn

i'n mynd allan y nos i'r Clwb neu i unrhyw fan arall. Roedd arna i ofn tywyllwch, felly fe gawn i lifft i'r Clwb gan Glyn Penglanowen fel arfer. Weithiau, os na fyddai Glyn yno, fe fyddai'n rhaid cerdded. Felly, roedd rhaid i fi aros yn hwyr er mwyn cael cwmni i fynd adre. Awn i ddim adre ar fy mhen fy hun. Weithiau, morwyn Penglanowen fyddai'r cwmni. Doedd ar Leis ddim ofn nos o gwbwl, nac Eileen, a ddaeth ar ei hôl hi.

Gan mai ychydig oedden ni o ran oedran cystadlu roedd rhaid i ni wneud pob peth, siarad cyhoeddus, y ddrama, y cwis a beirniadu gwartheg a defaid yn y rali. Fe ges i'r fraint dros y blynyddoedd o gymryd rhan ym mhob un o'r gwahanol weithgareddau. Ac yna, yn nes ymlaen, dod i gystadlu yn eisteddfod y Clybiau.

Fe fyddai pobol leol yn cymryd aton ni a'n dysgu ni yn y gwahanol grefftau hyn. Un fu'n ein dysgu ni i feirniadu defaid a gwartheg oedd y diweddar Ddoctor Richard Phillips, Argoed, awdur *Ar Gefn ei Geffyl*. Fe gaen ni fynd, dau neu dri ohonon ni, yn y car gydag e' fin nos i wahanol ffermydd, i'r Dyffryn yn Llambed, i Dy'n Lofft yn Silian, Nant y Benglog, Capel Seion a Throed yr Aur, Brongest i weld y *Shorthorns* ac i Fart Llambed pan oedd hwnnw yn ei fri. Ambell waith fe brynai Richard Phillips fuwch yno. Rwy'n ei gofio unwaith yn prynu buwch o'r enw Primrose yno, buwch o eiddo'r diweddar Roscoe Lloyd, tad Ifan ac Ifor Lloyd.

Yr holl bwynt o gael mynd o gwmpas y gwahanol lefydd oedd cael gweld yr amrywiol greaduriaid a phenderfynu pa rai oedd yn greaduriaid da a pha rai oedd yn rhai gwael. Cyfarfod wedyn nôl yn Argoed i drafod y cyfan.

Fe gynhelid y Rali ar y dydd Sadwrn cyntaf o Fehefin, fel heddiw. Fe fyddai'r tri dydd Sadwrn hynny, diwrnod y Rali a'r ddau ddydd Sadwrn bob ochr i hwnnw, yn bwysig i ni, bobol ifanc Llangwrddon. Ar y dydd Sadwrn olaf ym mis Mai, y Gymanfa Ddosbarth yn Nhabor. Y Sadwrn dilynol, y Rali. A'r Sadwrn wedyn, trip y Clwb. Tri dydd Sadwrn pwysig iawn ar galendr ieuenctid.

Gan mai fi oedd yn tendio'r defaid gyda fy ewythr, fi fyddai'n cael mynd i'r cyfnewid, hynny yw, mynd i'r gwahanol ffermydd i gneifio ar ran Wncwl Morgan. Fel cyfnewid fe fyddai eraill wedyn o'r ffermydd hynny yn dod i'n diwrnod cneifio ni. Rwy'n cofio cael fy ngwellaif cyntaf. William Jones Evans, Tanglogau oedd yn hogi gwelleifiau pawb yn yr ardal er bod ffermwyr yn hogi eu gwelleifiau eu hunain o ddiwrnod i ddiwrnod. Ond ar benwythnos roedd yn rhaid mynd at William Jones Evans i roi gwasanaeth go iawn i'r gwellaif.

Roeddwn i wrthi'n cneifio un diwrnod a dyma D. C. Morgan y bwtsiwr yn dod heibio ar ei rownd gig. Dyma fe'n gofyn i fi am y gwellaif er mwyn dangos i fi sut oedd cneifio'n iawn. Ond fe dorrodd lawer i friw ar y ddafad.

'Bachan,' medde fi, 'chi ddim fod i dorri cymaint o gytau.'

'Nadw,' medde D.C., 'ond fel bwtsiwr, bachan rhwng y cig a'r croen ydw i. Rwyt ti i fod rhwng y croen a'r gwlân.'

Roeddwn i'n cyfnewid cneifio gyda Phenglanowen, Tanglogau, Pantybarwn, Pengelli a Brynchwith. Roedd hi'n ffasiwn gan bobol y wlad i hela defaid i'r mynydd yr haf. Fel arall mae hi nawr gyda phobol y mynydd yn hela defaid lawr i'r wlad y gaeaf. Roedd teulu Tanglogau, ers blynyddoedd, yn hela'u defaid i Fryneithinog, Ponthrydfendigaid at Defi a Joe Morgan. A dyna pryd yr awn i, ar y Sadwrn cyntaf ym mis Gorffennaf, i gneifio i Fryneithinog.

Fedrwn i ddim cysgu'r noson cynt gymaint fyddwn i'n edrych ymlaen. Yn y bore, er na fyddwn i'n cneifio, fe awn â'r *bib and brace* wedi'i lapio'n barchus o gwmpas y gwellaif yr un fath â'r bois eraill. Ar y ffordd yn y car fe fyddwn i'n galw yn Siop Lledrod yng nghwmni Evans Tanglogau, Ifan Williams Rhandir Uchaf a Huw Pantybarwn. Yno fe brynwn ugain o *Players* a bocs o *Swan*, a chyda'r rheiny yn fy mhoced rown i'n gneifiwr parod.

Rown i wrth fy modd ym Mryneithinog. Llond y lle o gneifwyr, un ochr yn cneifio ŵyn a'r ochr arall yn cneifio defaid. Fy ngwaith i yn y blynyddoedd cynnar oedd tendio llinynnon er mwyn clymu traed y defaid. Ac rwy'n cofio dyn cloff, John Gwndwn Gwinau, ef fyddai'n pilso'r defaid. Ar y buarth fe fyddai brwyn glas wedi'u gwasgaru i fod o dan y defaid er mwyn eu pitsho, hynny yw, rhoi'r marc arnyn nhw gyda phitsh poeth mewn crochan, a John Gwndwn Gwinau wedyn yn rhoi pilsen ffliwc i bob un.

Tra oedd dwsinau o ddynion yn cneifio roedd dwsinau o ferched yn y tŷ yn paratoi'r cinio gyda phwdin reis a syltanas i ddilyn. Yn y fan honno y gwelais i Charles Arch am y tro cyntaf, yn cneifio'r ŵyn. Ac roedden nhw'n dweud mai'r cneifwyr gorau gâi gneifio'r ŵyn.

Fe ddown i adre gyda'r nos gyda Moc Tanglogau ar y tractor a'r trêlyr gan ei fod e'n mynd nôl â'r ŵyn gwryw i well tir. Dim caban ar y tractor, wrth gwrs, hen dractor *Major TVO*.

Fel yn achos cneifio, roedd 'na gyfnewid dyrnu hefyd. Fe geid dau ddiwrnod dyrnu yn ardal Llangwrddon bryd hynny, yn yr hydref ar gyfer cael llafur malu i'r gwartheg dros y gaeaf ac yna yn y gwanwyn gogyfer â chael llafur had ac ati. Ac roedd llafur had, wrth gwrs, yn y cyfnod hwnnw yn cael ei gario lan i lofft y storws.

Y gorchwyl ar ddiwrnod dyrnu i'r gwas bach, neu i rywun fel fi oedd yn cychwyn, oedd cario mwnws, hynny yw cario'r sbwriel oedd yn dod allan yng ngwaelod yr injan. Gyda mwnws ceirch, fe fyddwn i'n cario hwnnw i ben y twr o *chaff* yn y sgubor, ond gyda mwnws barlys, ei gario fe allan i'r cae a rhoi matshen ynddo fe ac fe losgai'n ara deg am ddiwrnodau lawer. Ond hen hwch o job oedd hi.

Rwy'n cofio cario mwnws ar ddiwrnod dyrnu yn Argoed, ac roedd eisteddfod yn Llangwrddon y noson honno. Wel, roedd llwch yr hen ddyrnu a'r hen fwnws wedi mynd i'm llygaid i, a finne wedi'u rhwbio nhw gymaint nes rown i fel cwningen yn dioddef o *myxomatosis*. Er i fi olchi a golchi roedd fy llygaid i wedi chwyddo lan. Ond fe fyddai gofyn iddyn nhw chwyddo dipyn mwy cyn fy nghadw i adre o'r eisteddfod.

Y dyrnwr fyddai'n dod i ardal Llangwrddon oedd Huw Williams, Maesgwyn. Mae ei fab, Hywel, yn dal i gontractio. Rwy'n cofio'r hen dractor *Massey Harris* mawr yn dod â'r injan gyda'r nos, ac yng ngolau tortsh fe osodai Huw yr injan ddyrnu yn ei lle.

Yn aml iawn yn yr hydref fe fydden ni'n dyrnu helmi a theisi, ac roedd Wncwl Morgan yn helmiwr o fri a ninnau'n hen blant yn taflu'r sgubau i'r helm. Fe fyddai e'n disgwyl i'r sgubau ddisgyn wrth ei ochr bob tro. Fe safai yr ochr allan i'r helm a disgwyl i'r sgubau ddisgyn yr ochr fewn iddo, gyferbyn â'i law dde. A phob amser yn y siâp iawn, eu tinau i mewn a'u brigau am yn ôl. Pe byddai un o chwith roedd garantî o fonclust erbyn i chi orffen taflu'r llwyth. Fyddai dim angen gofyn beth oedd y rheswm am y bonclust. Fe wyddech chi'n iawn.

Rwy'n cofio dod nôl o gyfnewid dyrnu ym Mrynchwith. Roedd teulu o'r Gogledd wedi symud i mewn i Langwrddon. Roedd hi'n ardal glòs iawn. Doedd dim llawer o bobol ddŵad yno ond fe ddaeth y Tomosiaid, o Abercegir uwchlaw Machynlleth — Fred a Beryl — i ddechre bywyd ym Mhenglanowen Fawr. Roedd acen y Gogledd ganddyn nhw ac yn ei gwneud hi'n anodd, braidd, i'w deall. Roedden nhw'n byw gerllaw Penglanowen Fach lle'r oedd y tri brawd, Glyn, Tom a John. Chaech chi ddim cymdogion gwell na'r rheiny, hyd yn oed yn y Nefoedd. Tri hen lanc oedden nhw ar y pryd.

Beth bynnag, roedd Beryl yn disgwyl babi, ac fe aeth Fred i ffonio'r ysbyty famolaeth. Ychydig iawn o ffôns oedd yn Llangwrddon bryd hynny, felly roedd y ciosg yn bwysig iawn. Fe fedra i gofio rhif yr hen giosg o hyd, Llanilar 207. Beth bynnag, roedd Fred ar ei ffordd allan a finne'n disgwyl fy nhro yn y ciosg. Er na wyddwn i hynny ar y pryd roedd Fred wedi cael newydd da, roedd Elisabeth wedi rhoi genedigaeth i fab. A dyma Tom yn gweiddi ar Fred, 'Oes rhywbeth wedi digwydd?'

'O, oes, tad,' meddai Fred. 'Mae hi wedi cael còg bach.' Tafodiaith Sir Drefaldwyn, wrth gwrs.

Wnes i ddim deall yr hyn ddwedodd e', a dyma fi'n gofyn i Tom beth oedd Fred wedi'i ddweud.

'Diawl, wnes i ddim deall yn iawn,' meddai Tom. 'Ond fe 'wedodd e' rywbeth am Gòg bach.'

Fe fyddai cyfnewid yn digwydd mewn nifer o feysydd. A chan ein bod ni'n berchen ar Droed y Foel yn Nhrefenter fe fydden ni'n cyfnewid â ffermwyr y Mynydd Bach. Yn eu plith nhw roedd y disgleiriaf ohonyn nhw i gyd, Dafydd Morris Jones, neu Dai Morris, fel roedd rhai yn ei adnabod. Neu fel Dai Trapwr wedyn. Mae'n debyg iddo fod yn drapwr ar un adeg a hefyd yn gweithio ym mhyllau glo'r De. Roedd e'n ddyn hyddysg iawn yn ei Feibl ac wedi'i ddarllen e' saith gwaith drwyddo draw, yn ôl yr hanes. Mae'n debyg, tra oedd e'n trapo ar fynyddoedd Tregaron, y byddai pregethwyr mawr fel y Dr Martin Lloyd Jones yn dod i'r ardal. Wedyn fe fyddai Dafydd Morris Jones yn dadlau â hwnnw ac ar adegau fe fyddai'r pregethwr mawr yn cael gwres ei draed gan fod Dafydd mor hyddysg yn yr ysgrythur.

Roedd ganddo fe ddywediadau hynod. Fe fydden ni'n gyrru'r defaid lawr i'w golchi yn Y Felin, dipyn o daith a'r ffordd yn gul. Un flwyddyn fe fygodd dau o ŵyn Dai wrth ddisgwyl cael mynd i mewn i'r olchfa. Fe welodd Mrs Oliver, gwraig y gof ac aelod o deulu Rowlands y bwtsieriaid, y ddau yn mygu ac fe waedodd y ddau a'u blingo nhw. Ond ar ôl i Dai golli'r ddau oen fe adeiladodd ei olchfa ddefaid ei hun ym Mhantamlwg. Hwn oedd yr un gorau a welwyd. A'r fan hynny y byddwn i'n golchi defaid wedyn.

Roedd Dai bob amser yn ei fritsh a'i legins ac yn cerdded bob amser i gwrdd â'r bws. Dim ond ar ddydd Llun y dôi'r bws i Fethel. Bob diwrnod arall roedd rhaid cerdded i Langwrddon. Roedd angladd yn Llangwrddon un diwrnod ac roedd Dai Morris a Dai Jones, blaenor ac arweinydd y gân yn cerdded gyda'i gilydd. Cerdded oedden nhw drwy lwybr cyhoeddus ar dir Rhosgoch ac roedd ychydig o eira ar y llawr. A dyma Dai Morris yn trefnu gyda Dai Jones y bydden nhw hefyd yn cerdded adre o'r angladd gyda'i gilydd.

Yn yr eglwys fe'u gwahanwyd, Dai Jones yn mynd i

ben blaen yr eglwys i godi'r canu a Dai Morris yn sefyll
y tu allan. Wedi'r angladd fe arhosodd Dai Morris am
sbel yn disgwyl Dai Jones ond doedd dim sôn amdano.
Felly, fe aeth Dai Morris adre ar ei ben ei hun. Bore dydd
Llun pan gyrhaeddodd y bws Fethel roedd y ddau Dai
yno yn disgwyl amdano.

'Bachan uffarn,' medde Dai Morris, 'I ble est ti'r dydd
o'r blaen a finne'n aros amdanat ti?'

'Sori,' meddai Dai Jones, 'rown i wedi meddwl cael
hyd i ti. Fe ges i lifft gydag Wmffre Pantlleinau.'

'Wel bachan uffarn,' medde Dai, 'rwyt ti'r un fath â
cheiliog bantam y jips, rwyt ti â dy din ar *axle* pawb.'

Er ei bod hi'n ardal wledig fe alwai llawer o bobol o
bryd i'w gilydd. Masnachwyr yn galw yn eu faniau, er
enghraifft. Un a alwai'n rheolaidd oedd dyn y falau.
Gwerthu falau fesul bocsed. O du draw i Raeadr Gwy
yn Swydd Henffordd roedd e'n dod ac roedd e' a'i chwaer
fel rhyw hanner sipswn. Marshall oedd ei enw ef ac fel
Miss Eggerton y byddwn i'n adnabod ei chwaer. Allan
o dymor y falau fe fydden nhw'n dod o gwmpas i werthu
pegs a sosbanau a matiau. Roedd hi'n edrych yn eitha
jipen, yn rings hyd flaenau ei bysedd a rings anferthol yn
ei chlustiau a sgarff wedi'i chlymu'n gwlwm ar dop ei
phen. Fe wisgai rhyw ddillad silc a sanau *fishnet*.

Ychydig cyn y Nadolig roedden nhw'n siŵr o ddod yn
eu tro gyda bocseidi o falau a thusw o uchelwydd. Roedd
yn gas 'da fi ei gweld hi ar yr adegau hynny gan y byddai
hi bob amser yn gofyn am gusan o dan yr uchelwydd.
'Christmas Kiss' oedd hi'n galw'r peth. Rwy'n cofio'r
brawd yn gofyn i fi, 'Will you kiss her under the mistletoe?'

Ychydig o Saesneg oedd gen i, ond rwy'n cofio i fi ateb,
'I wouldn't kiss her under anaesthetic.'

Mae hynna'n fy atgoffa am Saesnes a ddaeth i fyw i'r ardal, un nad oedd yn gwybod rhyw lawer am arferion ffermio. Un dydd roedd hi'n gwylio Jim Sbaddwr o Ledrod wrthi yn sbaddu lloi. Jim Sparrow oedd hi yn ei alw gan feddwl mai dyna oedd ei enw iawn. Dyma hi'n gofyn i Jim sut fyddai'r lloi yn teimlo y bore wedyn?

'*Same as me on a Sunday morning,*' meddai Jim, '*with a bad head and an empty purse.*'

Un o'r tymhorau prysuraf ar y fferm oedd y gwanwyn, pan oedd yr ŵyn bach yn dod. Fe awn i â'r defaid lawr o Droed Foel ar y Mynydd Bach i Dy'n Cefen. Fe fyddwn i'n dod lawr â nhw ychydig cyn y Nadolig. Fe ddôi'r rhai oedd ddim yn gwneud mor dda lawr ychydig bach yn gynharach. Fe fydden nhw'n wyna ac fe fyddwn i'n eu cadw nhw lawr tan ddechre Ebrill.

Tymor diddorol iawn oedd y gwanwyn. Yr amser hwnnw roedd llawer mwy o alw ar ffermwyr. Fe fydden ni'n hau ceirch a barlys. Roedden nhw'n hoffi gweld y ceirch mewn erbyn dechre Ebrill. Fyddai dim rhaid rhoi'r barlys mewn tan tua dechre Mai.

Plygu perthi wedyn. Rown i'n gorfod dysgu hynny. Dydw i ddim yn honni fy mod i'n blygwr o fri. Doeddwn i ddim yn medru defnyddio'r dull oedd ganddyn nhw lawr yn Sir Frycheiniog. Rwy'n cofio Wncwl yn fy ngwylio i'n plygu. Nawr rown i wedi defnyddio polion ond doeddwn i ddim, debyg iawn, wedi dyrnu'r polion ddigon dwfn i'r ddaear. Roedden nhw'n sticio lan ormod. Ac fe ddaeth rownd un bore a dweud, 'Nawr 'te, 'machgen i, ma' eisie dyrnu'r polion 'ma'n ddyfnach neu fe fydd pobol yn credu'n bod ni wedi cael ffôn mewn.'

Hynny o beiriannau oedd ganddon ni, fe fydden ni'n eu prynu oddi wrth J. W. Davies yn Llambed. Rhyw Mr

Harris oedd y gwerthwr, dyn mawr tal wedi gwisgo'n dda a chetyn yn ei geg. Roedden ni'n prynu *siderake* newydd ac rown i'n digwydd bod yn dyrnu polyn ar ben y clawdd ar y pryd. Nawr roedd gen i ddiddordeb mawr yn y ffaith fod peiriant newydd i ddod, ac fe ddwedais wrth Wncwl, 'Rwy wedi dyrnu'r polyn 'ma ddigon nawr.'

Ateb Wncwl oedd, 'Dyrna di'r polyn 'na 'machgen i nes 'mod i'n dweud wrthot ti am stopo.' Fe ddyrnais i'r polyn nes oedd e' o'r golwg.

Roedd Wncwl yn feistr da. Pitsho gwair, er enghraifft. Fe fyddai'n gwthio'r pigau i'r mwdwl ac wedyn roedd ganddo fe ryw ffordd o wasgu'r goes tua'r ddaear a gosod un o'i goesau ei hun wedyn fel cryman am goes y pigau. Roedd e' nid yn unig yn codi'r mwdwl ond yn codi hefyd y dywarchen oedd oddi tano. Yna fe fyddwn inne'n ceisio gwneud yr un peth ond yn gwneud hynny braidd yn araf. Ond fyddai e' byth yn fy hastio; fy annog i, nid beirniadu.

'Nawr 'te, 'machgen i, swing i'r fraich a gwynt i'r gesail 'na.' Dyna fyddai ei gyngor e'.

Ie, pan fyddwn i'n gwneud fy ngorau i wneud rhywbeth yn iawn, cyngor gawn i, nid cerydd.

Peth arall oedd yn wahanol bryd hynny oedd y dril hau slag, neu giwana. Llwythi ohono fe'n dod mewn bagiau o Bort Talbot. Roedden ni'n rhannu'r dril slag. Roedd ein dril arbennig ni yn cael ei rhannu rhwng Maesbeidiog, Tanglogau a Phenglanowen. Dril deg troedfedd o led oedd hi gyda cheffyl yn ei thynnu. Fe fyddai'n rhaid i Wncwl fynd gyda fi, hynny neu un o'r gweision. Rown i'n rhy fyr. A doedd fawr o gatiau bryd hynny yn lletach nag wyth troedfedd. Felly roedd rhaid tynnu'r hen ddril yn rhydd o'r ceffyl i fynd drwy'r gatiau, codi'r shifft i'r awyr ac un wrth bob olwyn i'w gwthio a'i thynnu hi drwy bob gât.

Dyn ceffyl oeddwn i. Doedd gen i ddim i'w ddweud wrth dractor. Ceffyl fyddai'n gwneud y rhychio i gyd. Ac roedd Wncwl yn athrylith gyda'r ceffylau, Lion a Chole. Roedd Lion yn fab i Cholet ac yn dipyn o foi. Hyd heddiw mae enwau gwahanol geffylau'r ardal yn dal ar fy nghof i. Star oedd ym Maesbeidiog. Dim ond un ceffyl oedd yno ac wedyn fe fydden nhw'n cael benthyg Bess o Benglanowen i baro fyny i rychio tatws ac ati.

Roedd rhychio yn waith anodd ond roedd claddu tatws yn fwy anodd fyth. Bryd hynny roedd gofyn i un ceffyl gerdded ar ben rhes. Ond y gwaith mwyaf diawledig i fi oedd cario tail allan. Cario crugiau o dail allan i'r cae tatws a gwasgaru hwnnw dros led tair rhes. Hynny yw, roedd pob rhes o grugiau tail yn cyfateb i dair rhes o datws. Ac o gario tail, roedd gofyn i chi ei wasgar e' ar unwaith cyn iddo sychu a chlymu yn ei gilydd. Tail gweddol welltog oedd y gorau.

Roedd y ceffylau yn chware rhan bwysig iawn yn y dyddiau hynny. Fe fyddai Lewis Davies, Maesbeidiog, o gael ceffyl dieithr, yn gorfod ei arwain ond roedd fy ewythr mor hyddysg yn y gwaith fel mai prin orfod defnyddio'r leins oedd e'. Ac o'i wylio rown i bron marw eisie defnyddio ceffylau gwedd. Chawn i ddim rhychio, roedd fy mreichiau i'n rhy wan. Ond fe gawn i tseino'r tir gwair, ac roedd hynny'n fwy anodd nag oeddwn i'n ei ddisgwyl. Roeddwn i'n cerdded yn union y tu ôl i'r oged tsiaen. Weithiau fyddai fy ngham i ddim yn gywir ac fe fyddwn i'n damsang ar yr oged a lawr ar fy nhin yr awn i. Felly fe fyddai'n rhaid cerdded wrth ochr y ceffylau.

70

Roedd Wncwl yn dysgu ceffylau fel y bydd eraill yn dysgu ci heddiw. Roedd e'n siarad â nhw. *'She-back'*, *'Come-ye-'ere'* ac yn y blaen. Ond pan waeddai Wncwl, 'Cydia ynddi, geffyl,' fe fyddech chi'n gweld y war yn crymu fel cryman a'r coesau ôl yn cydio. Rwy'n cofio'r ceffyl hwnnw'n dda, ceffyl glas oedd e' a Capten oedd ei enw fe.

Rwy'n cofio Wncwl yn symud hen garreg fawr oedd yn hongian y gât yng Nghae Ffrwd Fach yn Nhroed Foel. Dim ond pedair troedfedd oedd y gât ac roedd hi lawer iawn rhy gul. Fe fyddai gofyn lledu'r gât yn gyfan gwbwl â rhaw. Doedd dyddiau'r JCB ddim wedi dod. Ond gorchwyl anodd oedd symud y garreg. Roedd y bachau yn dal ynddi felly fe fyddai'n rhaid defnyddio'r un polyn wedyn. Fe allen ni brynu polyn pren newydd, wrth gwrs ond doedd gwario arian ar bolyn newydd ddim wedi dod i feddwl neb.

Ar ôl torri o'i chwmpas hi â bar dyma glymu'r hen Gapten wrthi. Fe alla i weld yr hen Gapten nawr yn dal, ei goesau fel coesau bois *tug-o'-war*. A dyma Wncwl yn rhyw chwyrnu, 'Tynna hi 'rhen geffyl'. Rwy'n medru gweld y garreg yn codi y funud hon.

Pethe fel'na oedd yn gwneud i fi freuddwydio a dweud wrth fy hunan, 'Ew! Fe fydda i'n ffermwr fy hun un diwrnod. A cheffyl fel'na fydda i'n ei mo'yn hefyd.'

Parch i'r Parchedigion

Am flynyddoedd fu ganddon ni ddim gweinidog yn Nhabor. Ond roedd ganddon ni ficer, a hwnnw'n gymeriad rhyfeddol. Er mai Capel Tabor oedd canolfan ysbrydol yr ardal i fi, yr eglwys, neu'n hytrach festri a neuadd yr eglwys, oedd y brif ganolfan ddiwylliannol. Yno y cynhelid dramâu a chyngherddau, gyrfeydd chwist a chyfarfodydd y Ffermwyr Ifanc.

Roedd crefydd a diwylliant yn tueddu i gymysgu'n naturiol ac roedd 'na ewyllys da rhwng pobol y capel a'r eglwys. Yn y fynwent, wrth gwrs, fe fyddai pawb yn gyfartal. Fe roddwyd y tir ar gyfer mynwent y plwyf gan Lady Loxdale, Castle Hill, Llanilar. Ac mae hyn yn codi sgwarnog fach, sef hanesyn am godi pileri prif fynedfa'r fynwent.

Roedd yr ardal yn gyfoethog o grefftwyr a'r rheiny yn teithio o gwmpas i ymarfer eu crefftau. Dyna i chi Edwin Penbont y saer a Morgan Maesllyn y gof. Yn wir, roedd dwy efail yn Llangwrddon, un Morgan ym Maesllyn ac un Dic y Gof, neu Richard Oliver. Ond Morgan oedd yn pedoli'n ceffylau ni.

Crefftwr lleol arall oedd Daniel Pugh Jones y masiwn, neu'r saer maen, tad yr anghymharol Dai Morris Jones, Trefenter. Roedd gan Daniel ddyn yn ei helpu, sef Tomi Oliver, un oedd wedi dysgu Cymraeg.

Rhwng Daniel a Tomi, chaech chi ddim dau mwy gwahanol i'w gilydd. Roedd y naill yn ddyn capel ac yn flaenor ym Methel ac yn dynnwr coes heb ei ail. Roedd Tomi, ar y llaw arall, ar ffiws fer iawn ac yn mynnu ei fod yn gwybod ddwywaith mwy na Daniel.

Roedd y ddau wrthi yn codi sied ddeulawr un diwrnod, y siment yn cael ei dynnu fyny mewn bwced ar y pwli. Daniel oedd yn tynnu ar y dechrau a Tomi'n derbyn ar y top. Wedyn dyma newid rownd gyda Tomi yn tynnu a Daniel yn derbyn. Er mwyn cael tipyn o hwyl dyma Daniel yn gollwng y bwced. Fe ddisgynnodd hwnnw ar gan milltir yr awr a tharo'r llawr gan chwalu'r siment dros Tomi. Fe aeth Tomi adre a welodd neb mono fe am wythnos.

Beth bynnag, tra'n codi pileri gatiau'r fynwent fe gafodd Tomi'r cyfle i dalu'r pwyth yn ôl. Gyda'r pileri wedi'u codi ac yn barod i dderbyn y gatiau roedd y ddau yn cerdded adre, taith o ryw dair milltir. Ar ôl cerdded tua dwy filltir ac o fewn milltir i fod adre dyma Tomi yn dechrau cyhoeddi.

'Wyt ti, Daniel, yn meddwl bod ti wedi gneud strocen heddi, ond wyt ti?'

'Wel ydw,' medde Daniel, 'rwy wedi gwneud strocen. Rwy wedi codi'r ddau biler yn barod, mwy na wnest ti mewn diwrnod erioed.'

'Falle wir,' medde Tomi, 'ond ti dim yn deall. Ma'n rhaid bod ti'n twp. Waeth wyt ti ddim wedi rhoi *hinges* i mewn yn y pileri.'

Roedd Tomi'n iawn. Roedd Daniel wedi anghofio'r bachau i ddal y gatiau. Ac erbyn y bore wedyn fe fyddai'r pileri wedi sychu'n gorn ac fe fyddai'n amhosib gosod y bachau wedyn. Er bod Tomi wedi gweld hyn o'r dechrau roedd wedi dewis cau ei geg nes oedd y ddau bron iawn â chyrraedd adre. Fe fu'n rhaid i Daniel gerdded yn ôl bob cam i osod y bachau cyn ei bod hi'n rhy hwyr.

Oedd, roedd llawer o fywyd yr ardal yn troi o gwmpas yr eglwys a'r capel. Ac fel rhywun oedd yn mynychu'r capel gymaint dydi e' ddim yn syndod o gwbwl fod gen i gymaint o barch at weinidogion. Ac at y ficer oedd gyda ni pan own i'n grwt ifanc.

Y Parchedig Tawe Jones oedd ficer plwyfi Llangwrddon a Lledrod. Roedd Tawe yn ddyn arbennig. Hyd yn oed yn y dyddiau hynny cyn bod sôn am eciwmeniaeth fe bregethodd Tawe yng nghwrdd diolchgarwch Tabor. Doedd hynny ddim yn plesio pawb, wrth gwrs. Ond dyna sut ddyn oedd e', dyn blaengar iawn.

Fe fyddai'n trefnu gyrfeydd chwist a dramâu i godi arian. Doedd cynnal gyrfa chwist ar Nos Galan ddim yn plesio pawb chwaith. Ond fe wnâi Tawe hynny ac fe fyddai'r neuadd fach yn orlawn gyda phobol yn dod o bobman. Yn eu plith nhw bob amser roedd tua deg o fechgyn y Bont, neu Bontrhydfendigaid, y cyfan yn teithio mewn hen *Austin 16* anferth gyda Dic Davies, neu Dic Mawr yn gyrru. Yn rhyfedd iawn, Dic Bach oedd e' i fois y Bont, a hynny am ei fod e' mor fawr. Un noson ar ei ffordd i'r yrfa chwist fe drawodd yn blet i mewn i stand laeth Cefn Coch.

Roedd Tawe'n chwerthiniwr braf iawn ac rown i wedi cymryd ato fe. Doedd ganddon ni ddim gweinidog. Tawe oedd ein dyn ni.

Fe godai ar ei draed yn y festri y tu ôl i Neuadd yr Eglwys a'r lle dan ei sang ar gyfer drama neu rywbeth felly. Fe fyddai'n sbio rownd y llenni ac yn gweld ei bod hi'n llawn ac yn dweud, 'Dyna fe, ardderchog, gwd. Neis

74

gweld fod cymaint wedi troi allan. Gwnewch le i'ch gilydd ac fe ddown ni i ben â hi.'

Fe ddaeth gyda ni ar drip y Ffermwyr Ifanc ac fe aeth pethe'n hwyr iawn. Wnaethon ni ddim cyrraedd nôl tan dri o'r gloch fore dydd Sul. Ac wrth gwrs, roedd rhai o bobol yr ardal wedi clywed fod rhai ohonon ni wedi meddwi a rhaid oedd holi Tawe.

'Fuoch chi ar y trip, Mr Jones?'

'Do wir.'

'Fe aeth hi'n hwyr iawn arnoch chi.'

'Do, fe deithion ni'n bell iawn.'

'Gawsoch chi, ymm . . . fwyd . . . ar y ffordd nôl?'

'Do, fe gawson ni fwyd.'

'Oedd y bois wedi meddwi?'

'Fe gafodd y bois amser pleserus iawn. Y trip gorau erioed. Ie, yn wir. Ac fe fydda i'n mynd gyda nhw eto'r flwyddyn nesaf.'

A bant ag e' heb i neb fod ddim callach.

Roedd e'n gymwynaswr mawr. Yn un peth, y fe fyddai'n dysgu pobol i yrru car. Tawe a ddysgodd Dafydd Evans, Cnwc y Barcud i yrru. Ond fe aeth pethe'n lletchwith pan gafodd Dai Ty'n Rhyd foto-beic. Roedd e'n brentis gyda Davies Aberarth ar y pryd ac yn dod adre i'r Clwb ar y moto beic i ymarfer ar gyfer y Rali. Roedd Dai wedi mynd lawr i'r pentre un noswaith a gofyn, 'Odi Ty'n Cefen yma?'

Fel 'na roedden i bryd hynny. Doedd neb yn sôn am Dai Jones neu Dai Jenkins, ond dweud, 'Odi Ty'n Rhyd yma? Odi Ty'n Cefen yma? Llaindelyn? Brynchwith? Ty'n Llwyn?' Enwi'r bechgyn wrth enwau eu cartrefi y bydden ni.

Beth bynnag, dyma Dai'n dod i weld a own i yno a

chael y neges nad own i ddim wedi cyrraedd. Bant ag e' i gyfarfod â fi, ond ar dro Tanrallt fe aeth mewn i gar Tawe. Hen Ffordyn oedd gan Tawe a hen *runner board* otano fe.

'Odi chi'n iawn?' medde Tawe.

Roedd Dai wedi cael tipyn o anaf. Os ydw i'n cofio'n iawn, fe dorrodd esgyrn yn ei droed.

'Dyna fe,' medde Tawe wedyn, 'cofiwch chi gymryd pwyll ar y troeon yma. Treiwch gadw yn eich meddwl bod yna fenyw ar bob tro.' Chwerthin yn braf wedyn fel petai e'n awgrymu na ddylai menywod fod yn gyrru.

Ie, Tawe Jones. Fe fyddwn i'n ei gofnodi fel un o gymeriadau mawr Llangwrddon a Lledrod. Fe gafodd fyw i oedran teg, diolch byth.

O sôn am foto-beic Dai, hwyrach mai dyma'r lle i fi sôn am fy nghar cyntaf. Gyda Rhys Brynpyllau y prynais i e'. Roedd siop gan Rhys Benjamin lle'r oedd e'n gwerthu popeth. Petaech chi hyd yn oed yn gofyn am sandal chwith Iesu Grist fe ddôi Rhys o hyd iddi rywle yn y siop.

Fyny yn Queensferry y byddai Rhys yn prynu ceir, mynd fyny yno gyda thri neu bedwar o ffrindiau a gyrru'r ceir nôl. Prynu'r car ar y *never-never*. Nhad yn dweud wrth Wncwl am adael i fi dalu am y car fy hunan er mwyn i fi ddysgu safio arian. *Standard 10* oedd e', un llwyd. Rwy'n cofio'r pris yn iawn o hyd, £240. Y rhif oedd FF 9745, yr FF yn fy atgoffa i o Fenella Fielding. Roedd FF yn golygu pethe braidd yn wahanol i bobol eraill ond awn ni ddim ar ôl hynny.

Y gyrrwr profiadol oedd gen i oedd Tom Ty'n Llan o Ysgol Yrru y Dragon yn Aberystwyth. Fe basiais i'r prawf y tro cyntaf, ym Machynlleth, gyrru yng nghar y profwr, *Triumph Herald*.

Doedd petrol ddim yn ddwl o ddrud y dyddiau hynny ond gan nad oedd fy nghyflog wedi codi roedd hi'n ddigon anodd. Sut bynnag, fe wnes i feddwl am ffordd i godi arian — prynu sachau bwydydd anifeiliaid, sachau lliain gwag cant-a-chwarter. Wedyn fe fyddai Ifor Lloyd yn prynu'r sachau am naw ceiniog yr un. Wn i ddim hyd y dydd heddiw beth oedd e'n ei wneud â'r sachau wedyn. Beth bynnag, roedd elw o dair ceiniog ar bob sach. Weithiau fe fyddai gen i lond cist y car o sachau, tua dau gant ohonyn nhw. A dyna sut y daeth Ifor a fi yn ffrindiau mynwesol. Ef, yn ddiweddarach, oedd fy ngwas priodas i.

Fe fyddwn i hefyd yn gwneud ambell i chweugain drwy helpu Dai Tanybryn i ddal cwningod a'u gwerthu nhw i Simpkins yn Aberystwyth. Roedd hynny, wrth gwrs, cyn y pla cwningod.

Un fantais o gael y car oedd medru mynd ymhellach i garu. Doedd ynddo fe ddim *reclining seats* ond roedd sêt ôl. Rwy'n cofio'n dda noson Eisteddfod Llanilar, neu Eisteddfod y Groglith. Roedd eisteddfod hefyd yn Llanddewibrefi yr un noson. Ar y pryd, roedd gen i gariad newydd a rhaid oedd glanhau'r car er mwyn plesio. Rown i wedi rhoi'r persawr, y drewi ffein, y tu fewn ac fe ges i'r cwyr yma i roi sglein arno fe. Ond wnes i ddim darllen y cyfarwyddiadau'n ddigon manwl. Fe rwbiais i drwch o gwyr dros y car i gyd. Wrth gwrs, erbyn i fi gyrraedd to'r car roedd y cwyr wedi sychu'n wyn. Ond rown i'n meddwl yn nhermau polish sgidiau. Unwaith roedd e'n sychu, mwya i gyd y sglein o'i rwbio. Ond yn yr achos hwn fe fethais i lanhau'r cwyr a gorfod i fi fynd i Eisteddfod Llanilar a gwaelod y car yn sgleinio fel swllt ond y top yn wyn.

Ond i fynd nôl at y gweinidogion a'r pregethwyr. Mae

'na gysylltiad rhwng gyrru car a gweinidogion, wel, ac un gweinidog o leiaf. Doedd dim gweinidog yn Llangwrddon yn ystod fy nghenhedlaeth i, na'r genhedlaeth o 'mlaen i chwaith. Rwy'n credu mai rhyw Mr Edwards, oedd yn byw yn y Commercial, oedd yr un diwethaf i fod yno.

Beth bynnag, fe ddaeth bachgen o Sir Fôn aton ni, R. E. Hughes, neu Ted Hughes, gwas ffarm wedi mynd i'r coleg ac wedi graddio i fod yn weinidog. Fe ddaeth yn weinidog ar gapeli Blaenplwyf a Thabor ac Elim gan fyw ym Mlaenplwyf, ym Mryngolau. Doedd e' ddim yn gyrru car. Fi, a hen fois eraill Llangwrddon a'i dysgodd e' i yrru. Fe brynodd gar *Morris 1000*, XAC rhywbeth-neu'i-gilydd oedd y rhif, lliw glas golau. Rwy'n cofio'n dda mynd draw ato fe ar nos Sadwrn a mynd ag e' allan am wersi gyrru. Fe gawson ni hwyl.

Ac unwaith roedd e'n pregethu yn Llanrwst ac wedi mynd fyny ryw ffordd neu'i gilydd ar ddydd Iau. Fe ofynnodd i fi, Dai Cnwc a Ieu i fynd fyny i'w nôl e' ar nos Sul i Gapel Seion, Llanrwst. Doeddwn i ddim wedi dechre teithio Cymru bryd hynny a heb fod yn siŵr iawn o'm ffordd. Mynd ar brynhawn dydd Sul yn yr XAC fyny i Gapel Seion, Llanrwst a gwrando yn y lobi tra oedd y gwasanaeth ymlaen i weld a oedden ni yn y capel iawn. Fe wnaethon ni adnabod ei lais e'. Roedd hi'n hawdd adnabod tafodiaith Sir Fôn.

Mynd â Ted wedyn yr holl ffordd o Lanrwst i Roscefn-hir ger Pentraeth. Yr Orsedd oedd enw'i gartref, ac fel Ted yr Orsedd y câi ei adnabod yn lleol. Ef oedd mab y gof lleol, ac mae'n debyg fod hwnnw wedi bod yn of o fri yn pedoli ceffylau gwedd ar gyfer prif sioeau'r wlad. Yna, wedi cael swper mawr yn Sir Fôn fe wnaethon ni gyrraedd nôl yn Llangwrddon tua hanner awr wedi tri y bore wedyn. Rown i'n teimlo ein bod ni wedi bod ym mhen draw'r byd.

Roedd R.E. yn ffitio i mewn yn berffaith gyda ni ac fe lwyddodd i'n denu ni i'r capel. Doedd dim angen denu llawer arnon ni, wrth gwrs. Roedden ni'n gapelwyr digon ffyddlon. Y capel oedd canolfan bro. Ef wedyn fyddai'n arwain y Cwrdd Bach. Roedd ganddo fe lawer o jôcs ac fe gâi bobol i chwerthin. Jôcs bach digon diniwed oedden nhw, wedi'u dysgu nhw pan oedd e'n stiwdent, mae'n siŵr. Roedden nhw'n fwy doniol oherwydd ei dafodiaith ddieithr. Fe fu yn Llangwrddon am rai blynyddoedd ac fe newidiodd hynny lawer ar bethe. Fe gefnogodd y Clwb Ffermwyr Ifanc yn un peth.

Ynghlwm â'r capel roedd 'na Gwrdd Ysgolion, cwrdd deufisol gyda chynrychiolydd o bob capel yn areithio. Fe ddaeth hyn i'm rhan i, ac fe gofiaf hyd heddiw destun yr araith, 'Glŷn wrth ddarllen.' Y diweddar Barchedig David Jones, sef gweinidog Blaenplwyf a ysgrifennodd yr araith i fi. Roedd hi tua hanner cant o dudalennau. Fe gredais fy mod i'n mynd i fod yn Bregethwr y Dŵr.

Roedd J. D. Jones yn ddyn hyfryd ac wrth ei fodd yn saethu a physgota. Roedd e'n ewythr i Olwen, y wraig. Pan wnes i gyfarfod ag e' gynta dyma fe'n gwneud hwyl o'r ffaith ein bod ni'n dau yn siario'r un enw, ef yn John David Jones a finne'n David John Jones. 'Diawch,' meddwn i, 'mae'n rhaid eich bod chi wedi'ch geni lwyr eich tin.'

Roedd pregethwyr yn galw'n fynych yn Ty'n Cefen. Yn yr haf yn aml, fe fyddai plant yr ardal oedd wedi mynd yn weinidogion yn dod yn ôl i'n gweld ni. Un ohonyn nhw oedd Rhys Cefn Coch, neu Rhys Griffith, a fu'n ddarlithydd yng Nghaerleon.

Roedd gan Rhys chwaer oedd yn gymeriad mawr, yr hen Lowsa. Rown i yno unwaith ar achlysur doniol iawn. Fe aeth criw ohonon ni yno i dynnu llo, bois Penglanowen, Moc Tanglogau, Wil Tanglogau, Eben Maesbeidiog. Maen nhw wedi mynd i gyd erbyn hyn. Ond rown i gyda nhw yn hen grwt. Roedd y sied yn llawn ac fe fuodd hi'n dipyn o job. Roedd e'n llo mawr a William Evans Tanglogau yn brif ddyn yn gofalu fod y pen yn wynebu'r ffordd iawn.

Dyma dynnu'r llo yn llwyddiannus a phawb yn tynnu anadl o ryddhad. A Lowsa'n dweud, 'Wel ble ddiawch ydw i'n mynd i'w roi e', dwedwch?'

A Wil Tanglogau yn ateb, 'Rho di fe ble ti'n dewis, Lowsa, ond paid disgwyl i fi ei roi e' nôl.'

Fe fyddai Tom Williams, Rhosgoch yn helpu Lowsa o bryd i'w gilydd. Doedd Tom, pan âi rhywbeth o'i le, byth yn ebychu 'Y Nefoedd' na dim byd fel hynny. 'Yr Hollamwriaid Mawr!' oedd ebychiad Tom bob tro. Roedd Tom, gyda llaw, yn ganwr o fri ac yn rhoi ambell wers i fi. Ac weithiau fe fyddai Anti yn fy ngalw i o 'ngwaith i'r tŷ a gofyn i fi ganu i Tom. Ond sut yn y byd y medrai rhywun ganu i Tom Williams ar ôl bod yn hela wyau, yn carthu o dan yr ieir neu o dan y gwartheg?

Tom oedd yn hela'r gwair i Lowsa. Doedd ganddi ddim tractor. Ceffyl oedd ganddi, neu'n hytrach hen gaseg fawr goch. Lock oedd ei henw hi a dyna lle byddai hi bob amser ar y buarth. A Tom yn ei gwisgo hi fyny a'i rhoi hi yn y rhaca. Weithiau fe wisgai Tom hen het bowler ar ei ben os byddai hi'n oer ynghyd â chot ddu hir a menig. A phan welodd Ifan Williams e' wedi'i wisgo fel hynny un diwrnod dyma fe'n gofyn, 'Duw, Duw, pwy sy'n hela crafion gyda Lowsa? Lord Kenyon?'

Un diwrnod, a Tom wrthi gyda'r gaseg yn y cae dyma Lowsa yn dweud wrtha i am fynd â the iddo fe. Dyma hi'n torri pisyn o gacen blaen a rhoi tipyn o jam ar fara menyn ac wedyn paratoi te. Doedd dim fflasg gyda hi felly dyma hi'n gafael mewn jwg o'r dreser ac arllwys y cynnwys allan, yn nodwyddau a botymau o bob math. Dim meddwl ei golchi hi dim ond arllwys y te yn syth iddi fel yr oedd hi.

Wel, fe es i â'r te i Tom. Doedd dim cwpan, felly dyma Tom yn yfed y te yn syth o'r jwg. Roedd e' wedi gorffen y brechdanau jam a'r gacen pan ddaeth e' at y llwnc olaf. A finne'n disgwyl am y jwg rhag ofn iddi dorri. Roedd hi'n werth arian o jwg. Wrth yfed y llwnc olaf fe fu bron iawn â thagu. Fe gredais i ei fod e'n trengi. Dyma garthu a pheswch a chyda hynny dyma'r ochenaid fwyaf ofnadwy wrth i hanner y gacen ddod nôl ynghyd â chlobyn o fotwm mawr. Roedd hwnnw, mae'n rhaid, wedi sticio yng ngwaelod y jwg, a'r te poeth wedi'i ryddhau e'.

'Diawch,' medde Tom ar ôl cael ei wynt ato, 'dwed wrth Lowsa 'mod i wedi bron tagu ar y botwm drôns oedd ar ôl yn ei jwg hi.'

Ond i ddod nôl at y gweinidogion a alwai gyda ni. Yn ogystal â Rhys Griffith, brawd Lowsa, roedd un o feibion Mynydd Mawr yn dod nôl yn rheolaidd. A John Davies y Gopa. Mae hwnnw'n dal i fynd. Gweinidog yn y Gopa, Pontarddulais oedd e' ond fe fyddai'n galw yn ei dro. Ninnau'r hen blant yn mynd i wrando arno fe'n pregethu ar nos Sul. Fe dynnai ei gôt i bregethu a'r stêm yn codi a'r chwys yn llifo. Siarad â'r Hollalluog a wnâi John Davies. Llawer tro fe welais i ni'r hen blant yn edrych fyny i'r galeri gan feddwl fod yr Hollalluog yno.

Pregethwr arall oedd yn galw oedd Walter Morgan o Dregaron. Fe ddôi lawr i Dŷ Capel Tabor ar nos Sadwrn, dal y bws o Dregaron i Ryd-yr-efail ac yna cerdded wedyn i Langwrddon. Roedd e'n mwynhau'r daith honno. Doedd e' ddim yn weinidog ond yn hytrach yn bregethwr lleyg ac yn deiliwr. Ei brif nodwedd e' o ran ei wisg oedd y dici-bo a wisgai bob amser. O ran ei wedd roedd e'n edrych yn debyg iawn i lun a welais i o Williams Pantycelyn, ac mae'n bosib ei fod e' yn sylweddoli'r tebygrwydd waeth roedd e'n pregethu'n aml am y Pêr Ganiedydd. Roedd e'n bregethwr da neilltuol.

Fe alwai'n rheolaidd yn ein tŷ ni ar y ffordd lawr. Fe fedrwn i roi fy mywyd lawr yn y sicrwydd y byddai e'n galw. Fe gâi e' swper wedyn gyda ni cyn mynd lawr i'r Tŷ Capel. Mae'n bosib ei fod e'n cael pryd o swper yn y fan honno wedyn ar ôl cyrraedd. Wn i ddim. Roedd gwneud pethe fel hynny yn beth hanfodol os oeddech chi'n mynd i'r weinidogaeth. Roedd gofyn bod stumog dda ganddoch chi.

Roedd Walter yn mynnu cael wyau *free range* ac fe gâi ddau o'r rheiny bob amser. Wrth y bwrdd swper fe gaen ni bob math o storïau ganddo fe. Ym mynwent plwyf Trefeurig, os wy'n cofio'n iawn, roedd e' wedi gweld beddargraff arbennig. Welais i erioed mo'r garreg dim ond cofio Walter yn adrodd y pennill Saesneg oedd arni. Dim ond unwaith yr adroddodd e'r pennill ond rwy'n dal i'w gofio o hyd.

> *For ye who come my grave to see,*
> *Prepare yourself to follow me;*
> *For here I lie in this cold clay*
> *Until the resurrection day.*

Fel teiliwr roedd ei ddillad e'n wahanol i ddillad pob pregethwr arall. Côt ddu, het ddu ar ei ben, trowsus *pin-stripe* a ffon ac roedd e'n cerdded yn osgeiddig. Mae'n chwith fod pobol fel Walter wedi mynd. Roedden nhw'n rhoi rhyw urddas i'r ardal wrth iddyn nhw ddod yma. A'r tristwch yw nad yw hwn yn gyfnod pell i edrych yn ôl arno. Dydw i ddim yn cyfri fy hun yn hen, ychydig dros fy hanner cant. Ac rwy'n cofio'r rhain.

Victor Thomas o'r Borth wedyn. O ochrau Tregaron a'r Bont oedd hwnnw'n dod hefyd, fel John David Jones Gosen y soniais i amdano eisoes. Mab Aberdŵr, Tregaron oedd e'. Rhyfedd fod cymaint ohonyn nhw'n dod o'r un ardal.

Mae gen i gof da wedyn am y Parchedig William Jones yn dod yn weinidog i Fronnant. Fe fyddai'n mynd yn rheolaidd i un tŷ arbennig i gael cwpaned o de a sgwrs. Un dydd fe aeth gŵr y tŷ ag e' allan i'r ardd i ddangos y toilet newydd oedd e' wedi'i adeiladu yn yr ardd. Rhyw hen Elsan oedd e' gyda simdde yn y to.

Roedd William Jones wedi bod yn weinidog ym Mangor am flynyddoedd a heb weld tŷ bach gyda simdde o'r blaen.

'Wel, dyma dŷ bach hynod. Weles i ddim byd rhyfeddach,' medde William Jones. 'Beth yw pwrpas y simdde?'

'Diawl,' medde'r hen foi, 'drwyddo fanna fydd y rhechfeydd yn mynd.'

Roedd pregethwyr yn golygu llawer iawn i fi a, diolch i'r Ffermwyr Ifanc, fe fyddai enwau mawr yn cael eu denu i'r capel. Yn eu plith Idwal Jones, Llanrwst. Gwilym Tilsley wedyn. Rwy'n cofio Tilsley yn pregethu yn Nhabor. Mae ei lais e'n dal i ganu yn fy nghlust hyd heddiw. Rwy'n cofio hefyd John Roberts, Caernarfon yn dod ar wahoddiad y Ffermwyr Ifanc.

Do, fe ges i fy magu ar aelwyd grefyddol. Ar y fferm roedd rheolau pendant ar gyfer dydd Sul. Doedd dim chwibanu wrth fy ngwaith i fod. Roedd Wncwl ac Anti braidd yn gul. Ac wrth gwrs, roedd yn rhaid mynd i'r capel. Peth arall pwysig ar ddydd Sul oedd hyn: dim ond y gwaith cwbwl angenrheidiol oedd yn cael ei ganiatáu gan Wncwl Morgan ac Anti Hannah. Chawn i, er enghraifft, ddim pylpio. Roedd gofyn paratoi'r cyfan y diwrnod cynt. Rhaid oedd codi'r pylp i gyd i ben y *chaff* fel bod y sudd o'r mangyls yn cael ei sychu i fyny erbyn bore dydd Sul. Gosod y gymysgedd mewn sach wedyn. Fe olygai hynny benlinio yn y sgubor i lenwi'r sach a gosod y cyfan yn barod. O ganlyniad i wneud y gwaith hwn, ac o gofio bod triog yn rhan o'r gymysgedd, fe fyddai pengliniau fy nhrowsus fel plastig.

Ychydig iawn o ddarllen fyddwn i'n ei wneud, hynny am mai ychydig iawn o ddeunydd darllen oedd yn y tŷ. Dim ond dau bapur newydd oedd yn cyrraedd, y *Welsh Gazette* neu'r *Cambrian News* a'r *Welsh Farm News*. Doedden ni ddim yn derbyn papurau dyddiol ond fe fydden ni'n cael benthyg y *Western Mail* gan Lewis Maesbeidiog. A dim ond er mwyn darllen y golofn farwolaethau y byddai hwnnw'n ei brynu fe.

Weithiau fe fyddwn i'n cwyno wrth Wncwl am nad oedd gen i ddim i'w ddarllen, a'i ateb e' fyddai, 'Darllen dy Feibl, 'machgen i. Fe wnaiff hwnnw fwy o les i ti.'

Hwyrach mai Wncwl oedd yn iawn.

Dechrau Canu

Fe ddechreuais i ganu mewn eisteddfodau bach yn fy ugeiniau cynnar. Prynu car a'i gwnaeth hi'n bosib i fi ddechrau teithio ymhellach. A hynny, yn ei dro, wnaeth i fi ddechrau cymryd canu o ddifri.

Fy athro llais cyntaf oedd yr Athro Redvers Llewellyn o'r Adran Gerdd yn y Coleg yn Aberystwyth. Roedd e' wedi bod yn Covent Garden ac yn brif ganwr Syr Thomas Beecham. Redvers oedd ei ddewis cyntaf e' fel bariton pan fyddai angen lleisydd ar gyfer cyngerdd neu wneud record. Bachgen o Lansawel ger Castell-nedd oedd e', dyn ffraeth ag acen Seisnigaidd iawn. 'David' oedd e'n fy ngalw i bob amser.

Doedd Redvers yn poeni dim am y llefaru. Yn Eisteddfod Genedlaethol Aberafan 1966, lle'r enillodd Dafydd Jones Ffair-rhos y Goron a Dic Jones y Gadair, fe lwyddais i gael llwyfan ar yr unawd dan 25 oed. 'Plygeingan' Idris Lewis oedd un darn, a'r gân eithriadol o anodd honno, yn enwedig i rywun ifanc, sef 'Nessum Dorma' Puccini oedd y llall. Ynddi mae 'na nodyn 'B fflat' uchel a hynny ar air lletchwith iawn. Y frawddeg oedd, 'Na, neb nes im' ei sibrwd ar dy fin', a'r gair 'sibrwd' oedd y bwgan.

Awgrym Redvers oedd, *'David, to hell with the sibrwd. Say sebroid, it has far better vowels.'*

Fy athro geiriol cyntaf oedd Ifan Maldwyn o Fachynlleth. Fe fyddwn i'n mynd ato fe yn aml ar nos

Sadwrn, Erfyl Llaindelyn a finne. Yno yn Heol y Doll y byddai'r hen Ifan yn ein dysgu ni. Roedd Ifan yn ddychmygwr mawr ac yn ddarluniwr caneuon. Ef oedd y gorau. Fe fedrwch i adnabod unrhyw ganwr fu wrth draed Ifan Maldwyn gan fod y geiriau bob amser yn ddealladwy. Yn gyntaf fe fyddai gofyn i chi adrodd y darnau cyn meddwl am eu canu.

Ganddo fe y dysgais i'r prif unawdau i gyd. Yn anffodus roedd e' eisoes mewn oedran ar ôl gweithio fel gard gyda *British Rail*. Roedd e'n arweinydd côr ac yn arweinydd band ym Machynlleth.

Fe es i ati wedyn i ddilyn eisteddfodau Sir Aberteifi, a'r adeg hynny roedd y sir yn byrlymu o eisteddfodau. Fe fyddai eisteddfod ymhob Llan, yn arbennig yng nghanolbarth a gogledd y sir. A dyma ddechrau canu o ddifri.

Yr eisteddfod weddol fawr gyntaf wnes i gystadlu ynddi oedd Eisteddfod Tyngraig ger Ystradmeurig a'r diweddar Idris Daniels, un o brif gantorion Cymru yn ei ddydd, yn beirniadu. Fe fûm i'n ddigon ffodus yno i ennill fy nghwpan cyntaf ac Idris yn fy annog i fynd ymlaen i ganu mwy.

Fe fyddai Erfyl, Dai Ty'n Llwyn a finne yn teithio gyda'n gilydd fel arfer. Roedd teulu Ty'n Llwyn yn enwog am eu ceir ac fe ddibynnais lawer ar eu ceir nhw dros y blynyddoedd. Pan own i yn yr ysgol, Mrs Jones, mam Dai, oedd yn mynd â ni yn hen blant i'r gwahanol eisteddfodau a chyngherddau. Rwy'n cofio iddyn nhw gael *Austin Somerset* du unwaith. Rwy hyd yn oed yn cofio'i rif, CEJ 828. Wedyn fe gawson nhw *Austin Cambridge* glas, MEJ 314. Roedd hwnnw'n globyn o gar, ac rwy'n cofio dweud wrth William Jones, 'Diawch, ma' car arbennig gyda chi.'

'Car i ryfeddu,' medde fe.

'Diawch,' medde fi, 'mae e'n edrych yn gar ffast. Fe basith hwn rywbeth.'

'Gwnaiff,' medde Wil, 'fe basith hwn bopeth — ond pwmp petrol.'

Ond rhwng gweithgareddau'r Ffermwyr Ifanc — a charu — doedd eisteddfota ddim wedi dod y prif beth. Fe fyddwn i'n dilyn sioeau ac ati nes i'r cythraul canu gael gafael go iawn ynof fi.

Fe ddaeth gyrfa coleg Erfyl i ben ac fe aeth i weithio i Loeger. A wnaeth Dai Ty'n Llwyn ddim dilyn lawer ymhellach gyda'i ganu, dim ond yn lleol. Dyna pryd y dechreuais fynd ymhellach i eisteddfodau'r Gogledd a'r De, ac yn wir, cael mwy o afael ar bethe. Ar ôl ychydig lwyddiant, ac ennill ychydig arian ychwanegol, fe ddaeth Alun Williams i'r fei. Roedd e'n cynnal cyfweliadau yn Aberystwyth ar gyfer y gyfres Sêr y Siroedd. Fe ges y cyfle deirgwaith o fod yn unawdydd yn cynrychioli Sir Aberteifi a dyma ddechrau o ddifri. Roedd hyn yn dod ag arian ychwanegol sylweddol. Am wn i nad oedd y BBC yn talu'n well bryd hynny nag maen nhw'n ei wneud heddiw. O leiaf roedd e' i'w weld yn fwy.

Fe fyddai Sir Aberteifi'n dod i'r rownd derfynol bob amser. Yr unawdwyr oedd yn cymryd rhan dros y gwahanol siroedd oedd pobol fel Tom Davies, Bryniog yn cynrychioli Sir Ddinbych, canwr oratorio gwych; Margaret Williams yn cynrychioli Sir Fôn; y diweddar Alun Watkins yn cynrychioli Sir Gaernarfon. Ac roedd 'na gantores oedd yn cael ei hadnabod fel Margaret Mynydd Mawr yn cynrychioli Sir Gaerfyrddin. Fe aeth hi ymlaen i fod yn gantores broffesiynol. Roedd y teulu O'Neill hefyd yn cystadlu'n rheolaidd.

Fe fyddai'r rownd derfynol rhwng y pedair sir orau yn cael ei theledu, a dyna'r cyfle cyntaf ges i i fod ar y sgrîn fach. Dipyn o brofiad. Mynd lawr i Gaerdydd a pharatoi am wythnos cyn hynny. Mynd i'r bàth nos Fercher. Glanhau'r sgidiau nos Iau. Gosod popeth yn barod nos Wener, ac yna mynd gyda'r wawr fore dydd Sadwrn.

Yn y cyfamser, a finne yn rhyw chware o gwmpas â'r canu, fe briodais. Mewn priodas mae *etiquette* yn beth pwysig iawn, ac rown i wedi cael gwersi ar y pwnc hwnnw fel rhan o weithgareddau'r Clybiau Ffermwyr Ifanc. Fe ddaeth y cwrs hwnnw ar adeg gyfleus iawn, ychydig cyn i fi fynd i'r briodas gyntaf yn fy mywyd, priodas Moc Tanglogau ac Elsi Cwm Gwenyn, Llangeitho. Roedd y wledd briodas yng ngwesty'r Central yn Aberystwyth. Ychydig ddyddiau cyn hynny y ces i'r gwersi yng ngwesty'r Marine, eto yn Aberystwyth. Yno fe gawson ni gyfarwyddyd ar ba gyllyll a ffyrc a llwyau i'w defnyddio a phryd i'w defnyddio nhw.

Ar ôl y gwersi roedd yn rhaid i ni fynd ati i wneud y gwaith ymarferol a phawb yn cael marciau ar y diwedd. Bob tro y byddai ganddon ni gyllell neu fforc yn sbâr fe gâi'r rheiny fynd i'n pocedi ni, rhyw guddio'r dystiolaeth, fel petai. Pan oedden ni'n gadael am y bws fe allech dyngu bod band taro yn chwarae yn rhywle.

Fe briodais i ag Olwen ar Hydref 22, 1966, drannoeth i gyflafan fawr Aber-fan. Rwy'n cofio'r Parchedig R. E. Hughes yn ei weddi yn y gwasanaeth priodas yn gofyn i Dduw am gysur i deuluoedd Aber-fan, a finne'n gofyn yn dawel i Ifor Lloyd, y gwas priodas, beth oedd wedi digwydd yn Aber-fan. Roedd un o'r trychinebau mwyaf erchyll yn hanes y byd wedi digwydd yng Nghymru fach a ninne'n rhy brysur yn rhedeg o gwmpas i wybod iddo ddigwydd.

Fe aeth Olwen a finne ar ein mis mêl i'r Alban. Rown i wedi dechrau ffermio fy hunan erbyn hyn. A nawr roedden ni wedi prynu buchod ac yn gwerthu llaeth. Dyma ffonio adre un noson a chlywed fod un o'r buchod, yr hen Duchess, wedi chwyddo yn y cae rêp ac wedi marw. Fe gafodd y mis mêl fod ac fe ddychwelon ni fore dydd Iau rhag ofn y byddai mwy o wartheg yn dioddef.

Fe gychwynnodd Olwen a finne arallgyfeirio. Mewn byngalo newydd o'n heiddo ar dir y fferm fe ddechreuon ni gadw ymwelwyr, Olwen a fi a'i rhieni. Fe ddôi pobol o bobman ar eu gwyliau yno. Llwythi o Ganolbarth Lloeger, yn enwedig adeg Pythefnos Birmingham, cyfnod gwyliau traddodiadol y ddinas honno. Bryd hynny roedden ni, bron iawn, yn hunangynhaliol. Fe fydden ni'n lladd ein creaduriaid ein hunain ac yn defnyddio'n llysiau ein hunain. Roedd hi'n ffordd dda o wneud arian i gynorthwyo'r hyn ddeuai o ffermio. Rhwng popeth fe ddechreuon ni ddod ar ein traed.

Gydag Olwen mor brysur, fedrai hi ddim dod gyda fi o eisteddfod i eisteddfod ond, ar benwythnosau, fe ddôi fy nhad yng nghyfraith yn gwmni imi. Mab Penbryn, Bronnant oedd e', yn un o 16 o blant. Ef oedd y degfed ac fe'i bedyddiwyd yn Decimus, neu John Decimus Davies, i roi iddo'i enw llawn. Roedd hyn yn arferiad yn y teulu. Roedd ganddo fe frodyr a fedyddiwyd yn Octavius, Quintus a Sedecimus ac yn y blaen.

Fe fyddwn i'n cystadlu yn rhywle bob nos Sadwrn ac yn mynd at Ifan Maldwyn bob nos Iau. Roedd Redvers erbyn hyn wedi symud. Ac o barhau i gystadlu fe fyddai ambell feirniad yn fy nghynghori i gael mwy o hyfforddiant, mwy o ddisgyblaeth. Weithiau fe fyddwn i'n canu i Gwilym Gwalchmai a oedd yn athro cerdd yng Ngholeg Brenhinol Manceinion, ac un noson fe wnaeth e' fy ngalw i i'r neilltu a gofyn a fyddai gen i ddiddordeb mewn mynd i'r coleg hwnnw. Fe gynigiais am grant i gael gwersi yno, a'm gobaith oedd dal i ffermio a theithio'n rheolaidd rhwng Llanilar a Manceinion. Ond na, dyma ddeall y byddai'n rhaid i fi fynd i'r coleg yn barhaol.

Oherwydd hynny fe wnaeth Gwilym Gwalchmai drefniadau i fi gael gwersi gan Colin Jones o'r Rhos, athro llais yng Ngholeg Manceinion, arweinydd Côr Meibion y Rhos bryd hynny. Bellach mae ganddo'i gôr ei hun, Cantorion Colin Jones.

Rown i fod gychwyn gyda Colin ar ddydd Sul. Ddeng diwrnod cyn hynny fe ddisgynnodd Gwilym Gwalchmai yn farw yn ei gartref ar ôl bod yn y capel yn Llangadfan ar nos Sul. Rown i yn ei angladd ar y dydd Gwener yn Llanerfyl ac yno fe gwrddais â Colin Jones. Fe ddwedodd wrtha i am gadw at y trefniadau ond i fi beidio â chychwyn ar y dydd Sul wedyn ond gohirio'r wers gyntaf am wythnos.

Ar fy nhaith gyntaf i fyny i weld Colin yn y Rhos rown i'n gyrru fyny drwy Lanidloes, a dyma alw yn y siop bapur yno i brynu'r *County Times*. Beth oedd yno ar y dudalen flaen ond llun a hanes angladd Gwilym Gwalchmai. Roedd e'n gyd-ddigwyddiad dychryn 'mod i'n darllen hanes angladd y dyn oedd wedi trefnu i fi gael gwersi gan Colin Jones.

Fe fûm i gyda Colin am chwe mis heb ganu'n gyhoeddus. Yna dod allan y gwanwyn canlynol yn Eisteddfod Minsterly ac ennill y wobr gyntaf ar y brif unawd allan o tua 30 o unawdwyr. Yna mynd i'r eisteddfodau mawr, Pantyfedwen ym Mhontrhyd-fendigaid, ac ennill yr unawd i fab yn honno. Gŵyl Fawr Aberteifi, ac ennill dan 30 ar yr her unawd, ar yr unawd Gymraeg ac fel rhan o'r ddeuawd yno. Fe es adre o'r eisteddfod honno gyda £135 yn fy mhoced, arian mawr i grwt o ffermwr o ganol Sir Aberteifi.

Fe genais i ddwywaith yn Eisteddfod yr Urdd gan ennill ar yr unawd tenor yng Nghaerfyrddin a'r flwyddyn ganlynol yn Llanrwst a theimlo'n hapus iawn i fi lwyddo i ennill yn y De a'r Gogledd.

Yna 1970, y flwyddyn fawr. Dim ond mewn llond dwrn o eisteddfodau rown i'n bwriadu cystadlu, a chanol-bwyntio ar ddysgu'r gwaith yn drwyadl. Fe enillais ym Minsterly, yng Ngŵyl Fawr Aberteifi, ennill Gwobr Goffa David Lloyd yn Eisteddfod Môn, Llanddeusant gan ennill cwpan her anferth yno. Rhyw fenyw fach oedd wedi rhoi'r cwpan, oedd yn werth £100, a 43 ohonon ni yn y rhagbrawf. Roedd y fenyw wedi dweud y byddai hi'n falch o weld yr hogyn bach o Lanilar neu'r ferch a losgodd o Lanbryn-mair, sef Margaret Lewis Jones, yn ennill ei chwpan hi. Ac mae'r cwpan hwnnw gen i hyd heddiw. Fi ddaeth yn gyntaf, Margaret yn ail a Howel Price, Mostyn yn drydydd.

Fe ges i'r fraint o eisteddfota yn ystod cyfnod aur y cystadlu yng Nghymru. Yn Sir Aberteifi ei hunan roedden ni'n ddwsin, bron, o gantorion dan 25 oed, a'r rheiny'n gantorion a ddaeth i'r brig. Yn y Genedlaethol ac eisteddfodau mawr eraill fe fedra i enwi Angela Rogers Lewis, Carol Jones Pontrhydygroes, Ifor Lloyd, Dafydd Edwards Bethania. Yna, tu hwnt i Sir Aberteifi, Dennis, Doreen a Pat O'Neill. Mae Dennis erbyn hyn yn un o sêr y byd a braf yw dweud i fi lwyddo i'w guro. Fe wnaeth yntau fy nghuro i droeon. Fel hynny roedd hi. Ac am y gystadleuaeth her unawd, roedd honno gystal ag unrhyw beth gaech chi'n broffesiynol heddiw.

Meddwl wedyn am Berwyn Davies Felin-fach, Ifan Lloyd Crug-y-bar, a'u brenin nhw i gyd fel llwyfannwr a lleisiwr, Lloyd Davies Tal-y-bont. Dyna gymeriad oedd hwnnw. Mewn un eisteddfod arbennig dyma Andrew Williams, y beirniad, yn gosod Lloyd Tal-y-bont ac Ifan Lloyd yn gydradd ar yr her unawd, a dyma'r ysgrifennydd yn sibrwd rhywbeth yn ei glust wrth geisio esbonio fod yn rhaid cael enillydd gan fod cwpan yn wobr.

'O, mae 'na gwpan,' medde Andrew Williams wrth fynd ati i ailasesu. A Lloyd Tal-y-bont yn codi ar y galeri a'i lais yn atseinio drwy'r lle, 'Rho'r cwpan iddo fe, gwas. Ma' gyda fi gannoedd ohonyn nhw gartre.'

Yn Eisteddfod Capel y Groes, Llanwnnen roedd Lloyd yn canu 'Brad Dunravon'. Ar yr her unawd roedd e' wedi canu darn Felice, *'My Hand Shall Conquer All,'* a'i chanu nes bod y capel yn eco. A'r Doctor Leslie Wyn Evans, Caerdydd, oedd wastad yn beirniadu heb ddarn o bapur, dyn wedi'i wisgo'n berffaith a phob blewyn o'i wallt yn ei le yn cyflwyno'i feirniadaeth. Fel Llwyd oedd e'n cyfeirio at Lloyd bob amser a doedd Lloyd ddim yn hoffi hynny.

Beth bynnag, roedd Lloyd wedi canu darn Felice a'r Doctor wedi ei rybuddio fod angen iddo ffrwyno'i lais. 'Roeddwn i'n teimlo rhyw anwedd annifyr yn dod i fy wyneb i pan oedd e'n dod i'r canu *forte*,' medde fe.

Na, chafodd Lloyd ddim byd ar yr her unawd. Felly, pan aeth e' ymlaen i gystadlu ar yr unawd Gymraeg fe luchiodd y copi o 'Brad Dunravon' o flaen y beirniad fel petai e'n lluchio rhywbeth i'r bin sbwriel.

'Nawr, os wyt ti eisie bod yn saff o dy iechyd,' medde Lloyd a'i lais fel taran, 'gwell i ti fynd nôl i'r bac i wrando neu fe fydd dy ben di bant y tro hwn.'

Ac fe ganodd Lloyd 'Brad Dunravon' fel na chlywais i ei chanu na chynt na chwedyn.

Roedd Lloyd yn falch o gryfder ei lais. Un diwrnod roedd Jenkins Pwllpridd, Lledrod yn sgwrsio ag e'. 'Bachan, rwy'n gweld yn y *Radio Times* dy fod ti'n canu ar Aelwyd y Gân nos Wener ar y weierles. Rwy wedi prynu batri newydd yn barod.'

'Wel,' medde Lloyd a'i lais yn taranu, 'os yw dy set radio di'n hŷn na phumlwydd oed, paid â'i throi hi mlân neu fe fydd hi'n yfflon.'

Fe ddôi pobol o bobman i gystadlu. Fe ddôi John Tegla Williams yr holl ffordd o Drefnant i eisteddfodau bach Trisant, Pontrhydygroes ac Ysbyty Ystwyth. Doedd y gwobrwyon ddim yn eithriadol. Y wobr am yr unawd dan 25 yn Eisteddfod Trisant oedd *weather-glass* yn cael ei roi gan deulu Bwlchcrwys bob blwyddyn.

Fe fyddwn i'n canu ar bopeth: dan 25, yr unawd Gymraeg, yr emyn, yr alaw werin, yr her unawd, deuawdau — roedd pob ceiniog yn cyfri tuag at y petrol ac ati. Fe fu Ifor Lloyd a fi yn canu deuawdau am flynyddoedd. Yn wir, fe ddaethon ni'n ail yng Ngŵyl Fawr Ponthrydfendigaid, hynny yw, pan oedd yr ŵyl honno yn ei bri a'r eisteddfod mewn pabell ar y maes.

Fe ddylai rhywun ddiolch i deulu Pantyfedwen ac i'r pwyllgorau lleol am y cyfle maen nhw wedi'i roi i gantorion Cymraeg drwy gynnal yr eisteddfodau ym Mhonthrydfendigaid, Aberteifi a Llambed gan ein galluogi ni, gantorion cefn gwlad Cymru, i ganu i feirniaid mwyaf disglair y byd cerddorol ym Mhrydain, pobol fel Isobel Bailey, Peter Gelhorn, Arthur Reckless, Harvey Allen, Gordon Clinton, John Mitcheson ac yn y blaen. Roedd e'n brofiad dim ond cael mynd i'r rhagbrawf. Mae 'na lawer iawn o gantorion byd-enwog heddiw fu'n cystadlu yn Eisteddfodau Pantyfedwen. Meddyliwch, ar y llwyfan ym Mhontrhydfendigaid, tri ohonon ni yn cystadlu ar yr her unawd i fab — Dennis O'Neill, Philip Ravenscroft a finne. Richard Rees Pennal a Gerald Davies Caerdydd yn beirniadu. Ie, oes aur.

Roedd hyn oll, wrth gwrs, yn gyfle i wneud ffrindiau newydd. Dyna i chi W. E. Williams, Llanbryn-mair, un o'r eisteddfodwyr mwyaf pybyr a welodd Cymru erioed. Fel Wil Tŷ Pella, neu W.E. y câi e'i adnabod. Fe fu'r ddau ohonon ni'n canu deuawdau yn y rhan fwyaf o eisteddfodau Cymru. Pan fyddwn i'n mynd lan i'r Gogledd fe fyddwn i'n cwrdd â Wil yn Garej y Stesion ym Machynlleth a phan fyddai e'n dod lawr i'r De fe fydden ni'n cwrdd yn Garej Llanfarian.

Fe deithion ni Gymru gyfan. Roedd fy nghar i'n dueddol o fod yn llawn sbwriel ac ar y ffordd i Eisteddfod Llangollen unwaith fe wnes i bwynt o ddweud wrtho fy mod i wedi glanhau'r car.

'Falch iawn gweld,' medde Wil. 'Rown i wedi cysidro gwisgo welingtons.'

Fe fyddwn i'n mynd i bobman. Eisteddfod Butlins, Pwllheli ar ddydd Sadwrn olaf tymor yr haf. Roedd hanner canpunt o wobr ar y brif unawd yno. Eisteddfod Bwlchtocyn Nos Galan. Eisteddfod Nadolig wedyn ym Mlaenpennal. Roedd 'na stori dda yno am Fred Evans oedd yn cadw siop watshus a chlociau yn Aberystwyth.

Un o blant Esgair Hendy, Blaenpennal oedd e'. Roedd Fred yn eistedd yn y côr a'r lle'n orlawn. Llawer o wragedd bonheddig yn eistedd yn yr un côr. Fred druan wedi bwyta'n helaeth drwy Ddydd Nadolig a dyma'r wasgfa'n mynd yn ormod iddo: fe wnaeth sŵn bach na ddylai e'. Pawb yn troi i edrych arno a Fred yn gwenu ac yn cyhoeddi, 'Grefi'r ŵydd.'

Ambell waith fe fyddwn i'n gwneud dwy eisteddfod ar yr un nos Sadwrn. Fe fedra i gofio canu dan 25 yn Eisteddfod Llanbryn-mair ac yna mynd yn syth drwy Staylittle allan i Lanidloes draw am Raeadr Gwy ac ymlaen i Eisteddfod Pontsenni a chanu yno wedyn.

Dwy eisteddfod arall fyddwn i'n eu gwneud ar yr un noson oedd Eisteddfodau Ceri ger y Drenwydd a Llanfachreth ger Dolgellau. Am Lanfachreth mae dau beth yn sefyll allan yn fy nghof i. Yn gyntaf, y gwybed bach oedd yn bla yno. Roedden nhw'n cnoi fel Jack Russells. A'r ail beth wna i gofio yw araith y Cyn-archdderwydd Gwyndaf, bachgen o'r fro, fel Llywydd un noson. Roedd tua phymtheg ohonon ni yn barod i fynd ar y brif unawd yn eistedd ar fryncyn y tu allan ac yn gwrando arno. Rwy'n cofio pwy oedd y rhan fwyaf ohonon ni — Howel Price Mostyn; Wil Prysor; Ken Jones Saron; W.E. Llanbryn-mair; Margaret Lewis Jones Llanbryn-mair; Dai Croeslwyn; Bob Bach Henllan; Iwan Davies Prestatyn; Tom Gwanas a finne, a llawer mwy. A Gwyndaf yn siarad, a phawb ohonon ni ar noson sych, braf yn gwrando ac yn cael ein cyfareddu ganddo fe.

Eisteddfod gynta'r tymor, ar wahân i eisteddfodau'r Calan, oedd Eisteddfod Abergynolwyn ar y nos Sadwrn gyntaf ym mis Chwefror. Roedd honno'n enwog nid yn gymaint am y nifer oedd yn cystadlu ond am y ffaith fod merched y te yn gwneud ffagots a'r rheiny'n ffagots arbennig. Rown i'n medru eu gwynto nhw o Gorris wrth fynd dros y top.

Oedd, roedd yna ryw gyfeillgarwch mawr rhwng y cystadleuwyr a'i gilydd. Os oedd yna gythrel canu, cythrel digon diniwed oedd e' Roedden ni eisie ennill ond roedden ni hefyd yn fodlon colli. Rwy'n cofio ennill yn Eisteddfod Llambed ar nos Sadwrn a Berwyn Davies wedi dod yn ail. Y noson wedyn rown i'n canu mewn cyngerdd yno ac rown i'n gloff ac fe sylwodd Berwyn ar hynny. 'Bachan, be' sy'n bod ar dy goes di, 'te?'

'Diawl,' medde fi, 'hen fuwch wnaeth sathru ar fy nhroed i wrth odro heno.'

'Biti ar y diawl na fyddai hi wedi sathru ar gorn dy wddw di,' medde Berwyn. Ac yna chwerthin iach.

Diddorol oedd sylwi ar arferion y gwahanol feirniaid. Fe fyddai un, efallai, yn rhannu rhwng pawb. Beirniad *National Assistance* fyddwn i'n galw hwnnw am ei fod e'n gwneud yn siŵr na fyddai neb yn mynd adre heb arian. Roedd eraill, yr annwyl ddiweddar Meirion Williams, er enghraifft, yn gymorth mawr gyda'i awgrymiadau. Ac mae'n rhaid dweud i fi fod yn dipyn o ffefryn gan Meirion. Gwilym Gwalchmai a'i lais hyfryd wedyn a'i gydymdeimlad mawr at gantorion. Eraill wedyn yn medru bod yn ddigon anghwrtais.

Rwy'n cofio hefyd Arthur Vaughan Williams Llanrwst a'i hanner sbectol ar flaen ei drwyn. Roedd Arthur yn beirniadu yn Eisteddfod Dinas Mawddwy un noson. Roedd hi tua thri o'r gloch y bore a'r hen Arthur wedi agor ei geg oherwydd blinder sawl gwaith. Dyma ni'n canu un ar ôl y llall a Trebor Gwanas yn canu 'Arthur yn Cyfodi'. Fe ddeffrôdd Arthur Vaughan gyda gwên ar

*Fy Nhad
yn canu yn Llundain.*

Fy Mam.

Priodas Mam a Dad.

Trefor fy mrawd a minnau.

Yn 23 oed. Dechrau'r yrfa!

*Ifor Lloyd a minnau
ar y diwrnod mawr.*

*Olwen a minnau,
22 Hydref 1966.*

Dechrau byw. Mae John wedi cyrraedd bellach.

John yn torchi llewys yn barod am waith.

Ennill Cwpan Coffa David Lloyd, Eisteddfod Môn 1970.
Mae William, brawd David Lloyd, ar y chwith imi.

Hywel a Blodwen — Iona Jones a minnau'n canu ei hochor hi.

John cyn iddo golli ei ben ar dractors.

Siôn a Siân — gyda Jenny Ogwen yn 1971.

*Gyda dau o'm harwyr — Richard Rees, Pennal (uchod) ac
Alan Jones, Pontllyfni (isod).*

Testun y 'Cefn Gwlad' sydd agosaf at fy nghalon.
Don Garreg Ddu, y dyn anwylaf a gwrddais erioed.

Gyda Huw a Chatrin (Miss Pugh), Cwm Ffernol, Pennal.

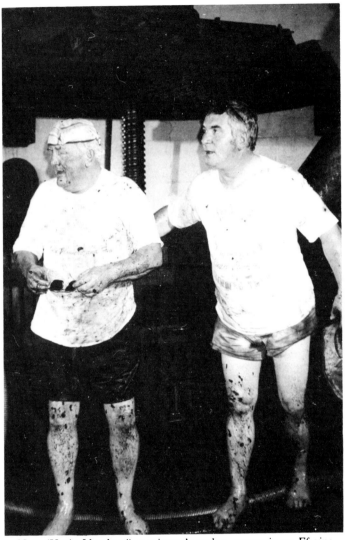

Now (Hogia Llandegai) a minnau'n sathru grawnwin yn Ffrainc.

Wil yr Hafod a minnau ar y 'piste'.

Dyma ni eto. Y tro hwn ar goll yn Norwy.

Gyda phlant Brychyni yn Eifionydd.

Cefn Gwlad yn ymweld â Phantycelyn.

Mae'r Cafalri'n dod! Gyda Shoni Ystradfellte.

Saethu clai gyda 'Jim Hardy' yn y Sarnau!

Dringo Bwlch Moch.
'Oh, sheet-a-da-breeck!' chwedl Pierino.

Mawrion y ceffylau gwedd:
William Cae'r Berllan, y diweddar Gwilym Tremoelgoch a Wil Llys.

Johnny Moch o Sir Fôn,
un o gymeriadau mwyaf Cefn Gwlad.

Ar fy ffordd i Smithfield?
Nage, ar saffari yn Kenya . . .

Newid cerbyd a newid tywydd!
Rhaglen ar Geraint Jones, pencampwr Cymru.

Newid cerbyd eto fyth.
Y tro hwn, trotian yn Nhregaron.

Gyda Geraint Rees, cyfarwyddwr Cefn Gwlad.

Gyda Marian Hughes, y cynorthwy-ydd cynhyrchu ers deuddeng mlynedd.

Fodlas Elwyn, enillydd Cwpan y Fam Frenhines yn Smithfield,
y cyntaf erioed o Gymru. Fe'i gwerthwyd am £3,500.

Criw Cefn Gwlad yn Ffrainc yn ystod ffilmio'r rhaglen ar y gwin.

*Gwneud fy marc
gyda Trebor Gwanas.*

*Meddwl yn ddwys cyn mentro.
Dydi dŵr a minnau
ddim llawer o fêts.*

*Ci rhy serchus ar
Gefn Gwlad!*

*Un o'r defaid wedi
dod â phum oen.*

Uwchben fy nigon.

ei wyneb a dweud 'Wel, wnaiff Trebor ddim ennill heno. Er i Arthur gyfodi, doedd e' ddim wedi deffro'n iawn.'

Gwyneth Alban Davies o'r Rhyl wedyn. Beirniad craff. Rhys Jones Ffynnongroyw, beirniad da iawn. Yn y De roedd mwy o feirniaid o'r colegau cerdd, Gerald Davies o Gaerdydd, Gerallt Evans a llawer mwy. Roedd Gerald wedi bod ym myd yr opera ac er nad oedd e'n siarad Cymraeg roedd e' wedi dysgu a chynorthwyo llawer iawn. Ac mae'r diolch i eisteddfodau fel rhai Pontrhydfendigaid am roi cyfle i'r rhain. Er bod yr Eisteddfod Genedlaethol yn cael ambell un ohonyn nhw ar y panel chaen nhw ddim traddodi'r feirniadaeth am na fedren nhw'r Gymraeg. Yn y Bont fe gâi beirniaid fel Gerald a Gordon Clinton ddweud eu dweud.

Roedd y fath gystadlu rheolaidd yn dipyn o drafferth i rywun fel fi oedd yn ffermio ac yn gwerthu llaeth. Roedd rhaid godro cyn mynd i eisteddfod fin nos ac roedd yn rhaid bod adre erbyn godro yn y bore. Fe ddes i adre o eisteddfod lawer gwaith a newid yn syth i fynd i odro ar fore dydd Sul ac yna mynd i'r gwely.

Yna, o ddechrau mynd at Colin Jones i'r Rhos, ar fore dydd Sul y byddwn i'n mynd. Fe gymerai ddwy awr i fynd yno — can milltir cywir o deithio un ffordd o fuarth Berthlwyd i gartre Colin. Gadael Berthlwyd tua naw, cyrraedd gyda Colin tuag un ar ddeg. Wedyn paned a brechdan a dwy awr o wers. Wedyn paned arall ar ôl gorffen a chyrraedd nôl yn Llanilar tua phump. Cinio, ac yna'n syth i odro. Roedd e'n fywyd caled. Ond os ydych chi am ddysgu crefft yn iawn mae'n rhaid i chi aberthu rhywfaint.

Mae'n ddolur calon gen i weld y trai sydd ar eisteddfodau heddiw. Yn eisteddfodau cynnar

Pantyfedwen ym Mhontrhydfendigaid doedd e'n ddim byd gweld tua deugain ar yr unawd i fab a'r un nifer ar yr unawd i ferch a phob un yn gantorion gwych. O dan 25 roedd yna oriau o ragbrofion.

Gŵyl Fawr Aberteifi wedyn yn rhedeg o nos Iau hyd nos Sul. Llond lle o gystadleuwyr. Mewn un rhagbrawf ar y brif unawd gyda Trefor Anthony ac Arthur Reckless yn beirniadu, roedd pedwar ar y llwyfan, Margaret Lewis Jones, Angela Rogers Lewis, Philip Ravenscroft a finne. Roedd y pedwar ohonon ni'n eistedd yn y garafán yng nghefn y llwyfan am chwarter i ddau y bore yn disgwyl cael ein galw i ganu.

Roedd canpunt o wobr yn Aberteifi. Ond roedd ennill pan nad oedd unrhyw wobr ariannol o gwbwl yn rhoi'r un fath o bleser. Pan enillais i yn Eisteddfod yr Urdd yn Llanrwst fe ges i docyn llyfrau Cymraeg. Ac ar ôl cyrraedd adre dyma weld ar y tocyn y byddai'n rhaid i fi ei newid yn Siop Lyfrau Cymraeg Llanrwst!

Ar ôl cryn lwyddiant dyma Colin yn awgrymu y dylwn i nawr ganolbwyntio ar y Genedlaethol a Llangollen. A dyna a wnes i yn 1970. Cyfyngu popeth i Eisteddfod Llanddeusant ym Môn, Gŵyl Fawr Aberteifi, Llangollen a'r Genedlaethol. Fe fûm i'n llwyddiannus yn Llangollen ar yr unawd tenor yn canu cân gan Verdi a 'Bara Angylion Duw,' trefniant W. S. Gwynn Williams o waith Cesar Frank. Roedd cystadlu yn Llangollen yn brofiad mawr. Roedd y chwe enillydd ar yr unawdau wedyn yn cael rhagbrawf ac fe gâi dau fynd i'r llwyfan. Soprano o Sbaen a finne gafodd fynd drwodd.

Roedd deuddeg o feirniaid yn eistedd o'n blaen ni a'r deuddeg yn dod i'r llwyfan wrth i'r feirniadaeth gael ei thraddodi. Roedd gofyn i fi a'r Sbaenes ganu cân o'n dewis ein hunain ac yna cân o'n gwlad ein hunain. Fe ddewisais i ddarn allan o opera *'Una Fortiva Lagrima'* allan o opera Donizetti ac yna 'Y Dieithryn' gan Morgan Nicholas fel ail gân. A fi enillodd. Roedd côr o ferched o'r Eidal yn bresennol yno ac ar ôl i fi ganu'r gân gyntaf mewn Eidaleg fe wnaethon nhw floeddio 'Bravo!' Dyna'r croeso cynhesaf i fi ei dderbyn gan griw o ferched erioed.

Y bore dydd Llun wedyn, a finne wedi derbyn llawer o sylw a chlod yn y papurau, fe ddaeth dau o'r beirniaid draw i Berthlwyd. Fel roedd hi'n digwydd rown i wrthi'n aredig yng Nghae Cwm. Doedd dim caban ar yr hen dractor *Power Major* glas a'r gwylanod yn caca dros y tractor a finne. Doedd tractor glas ac enillydd Rhuban Glas yn gwneud dim gwahaniaeth iddyn nhw.

Byrdwn neges y ddau oedd eu bod nhw am i fi fynd nôl gyda nhw i'r Eidal i ddysgu bod yn ganwr proffesiynol. Gwrthod wnes i er na fûm i ddim mor anghwrtais â dweud hynny wrthyn nhw ar unwaith. Fe ddwedais fy mod i am gael ychydig ddyddiau i feddwl.

Mis oedd gen i rhwng Eisteddfod Llangollen a'r Genedlaethol yn Rhydaman a doeddwn i ddim wedi dechrau dysgu *'Aria Lenski'* allan o 'Eugene Onegin' gan Tchaikovsky.

Fe ddaeth y rhagbrawf yn Rhydaman gyda thros 30 yn cystadlu ar yr unawd tenor. Fe ges i hwyl gweddol a chael fy newis yn un o dri i fynd drwodd i'r llwyfan. Roedd y gystadleuaeth ar y bore dydd Gwener ac fe farciwyd fi 96 allan o gant ar yr Aria a 93 allan o gant ar 'Y Dieithryn'. Y noson honno roedd y BBC am i fi ganu'n fyw ar y teledu ond roedd yn rhaid mynd adre i odro felly fe wnaethon nhw recordio'r eitem.

Nos Sadwrn ar gyfer y Rhuban Glas rown i wedi godro

cyn mynd lawr. Ar y llwyfan roedd Marian Roberts, soprano; Ken Jones, bâs; Mabel Roberts, contralto, Laura Hughes, mezzo; fi fel tenor a dau yn cynrychioli'r baritons, Tom Gwanas a Nigel Watkins. Roedd y beirniad, Delme Bryn Jones wedi methu â'n gwahanu ni. Fe grewyd hanes, felly, drwy i saith yn hytrach na chwech gystadlu ar y Rhuban Glas.

Y beirniaid oedd Trefor Anthony, Syr Geraint Evans a Meirion Williams. Fe enillais y Rhuban Glas ond fe gollais fy mag miwsig. A dyma Alun Williams yn cyhoeddi o'r llwyfan fod Dai Jones, Llanilar wedi colli ei fag. 'Un brown,' medde Alun, 'ac mae 'na gopïau cerddorol ynddo fe. A synnwn i ddim nad oes 'na gyfarwyddiadau ynddo fe hefyd ar sut i odro.'

Beth bynnag, fe enillais i'r Rhuban Glas yn 26 oed, hynny'n fy ngwneud i a Stuart Burrows y ddau ieuengaf erioed i wneud hynny. Ar ôl i fi ennill fe wahoddodd Selwyn Roderick fi yn ôl i ganu yn y Gymanfa Ganu ar y nos Sul. A phrofiad bythgofiadwy oedd canu 'Y Nefoedd' Osborne Roberts i bafiliwn oedd dan ei sang.

Mae 'na stori fach ddiddorol iawn y tu ôl i ennill y Rhuban Glas. Ar ôl ennill yr unawd tenor fe stopiais i ar fy ffordd adre i brynu tships yn Llandeilo. Yno hefyd yn prynu tships roedd Aled Lloyd Davies. Roedd e' newydd fod yn gweld Castell Carreg Cennen. Ar ôl iddo fe fy llongyfarch fe soniais wrtho mor nerfus own i'n teimlo. Fe gododd Aled fy nghalon i. Yn wir, rwy'n siŵr iddo fy ysbrydoli i. Fe ddwedodd wrtha i am beidio â gofidio gan y byddai Cymru gyfan y tu ôl i fi.

Rown i wedi bwriadu archebu cod a tships ond rown i wedi ymgolli gymaint yn y sgwrs gydag Aled fel i fi archebu pys slwdj hefyd a finne ddim o'u heisiau nhw.

Dyw pys slwdj ddim o'r pethe hawsaf i'w bwyta mewn car pan fyddwch chi'n gyrru.

Ond rwy'n sicr yn fy meddwl i Aled y noson honno fy sbarduno i tuag at y Rhuban Glas. Bob tro y byddai i'n pasio drwy Landeilo fe fyddai i'n cofio'i eiriau ac yn diolch iddo'n dawel bach.

Yr eisteddfod ddiwethaf un wnes i gystadlu ynddi oedd Eisteddfod Ponterwyd yn 1970. Rown i wedi ennill y Rhuban Glas ar y dydd Sadwrn cynt yn Rhydaman. Mae Eisteddfod Ponterwyd yn dal i gael ei chynnal ar y dydd Gwener wedi'r Genedlaethol. Dr Llifon Hughes Jones oedd yn beirniadu'r noson honno a doeddwn i erioed wedi canu o'i flaen. Ar anogaeth yr ysgrifennydd, Geraint Howells, yr Arglwydd Geraint erbyn hyn, fe gytunais i fynd. Fe wna i gofio'r gân eisteddfodol olaf tra bydda i byw, cân allan o'r 'Greadigaeth' gan Haydn. Dyna'r eisteddfod olaf un i fi ganu ynddi, a do, yn ffodus iawn fe enillais.

Llwyfan yr eisteddfod yw'r man gorau i unrhyw un fwrw'i brentisiaeth os yw am fod yn ddiddanwr yng Nghymru. Os am ddiddanu cynulleidfa Gymraeg mae'n rhaid gwybod sut i'w diddanu nhw. Mae'n help bod eich gwreiddiau chi yn ddwfn yng nghefn gwlad a'ch bod chi wedi treulio amser yng nghefn gwlad; eich bod chi'n medru rhoi ateb llithrig, chwaethus i bobol. Mae'n rhaid i chi hefyd wybod sut mae trin pobol, gwybod sut mae darllen eich cynulleidfa.

A dyna'r peth mawr ddysgais i gan yr hen Ifan Maldwyn, Machynlleth. Iawn, roedd Redvers Llewellyn a Colin Jones yn ddau athrylith oedd wedi dysgu'r grefft ac yn medru dysgu eraill i leisio, i gynhyrchu'r llais ond roedd Ifan Maldwyn wedi dysgu'r peth pwysicaf oll, sef sut i ymdrin â phobol. Dadl Ifan Maldwyn bob amser oedd, 'Os ydi bardd yn fardd da, mae e' wedi sgrifennu stwff da, ac os fedri di roi stwff da drosodd, rwyt ti'n rhoi i'r gynulleidfa yr hyn mae hi ei angen. Ac os fedri di roi'r hyn mae'r gynulleidfa ei angen, fe fydd gen ti ddigon o waith ar dy ddwylo.' Ac fe ddwedodd wrtha i rywbeth na wna i ei anghofio fyth. 'Cofia, os gwnei di sticio ati, fe ddoi di yn rhywun. Ond cofia hefyd pan ddoi di yn rhywun dy fod ti'n fodlon siarad â'r Brenin a dy fod ti'n fodlon siarad â chardotyn.'

Ac os dysgais i rywbeth erioed fe ddysgais i hynna. Cyn belled â bod gan bobol gydwybod, dyw eu statws nhw yn golygu dim i fi.

Siôn a Siân

Fe ddechreuodd fy nghysylltiadau i â'r cyfryngau ym mis Hydref 1970. Rown i wedi bod yn gwneud rhyw fân raglenni cyn hynny ar HTV a'r BBC. Roedd hynny yn yr hen ddyddiau pan oedd yna gyfarwyddwr ymhob adran ym myd teledu. Yn HTV, er enghraifft, Esme Lewis oedd y cyfarwyddwr cerdd ac roedd rhaid ichi gael cyfweliad drwy ganu gwahanol ganeuon cyn cael lle ar raglen.

Rwy'n cofio'n dda am Ieuan Davies, a oedd yn gynhyrchydd gyda HTV ar y pryd, yn gofyn a wnawn i fynd i Gaerdydd i roi cynnig ar Siôn a Siân. O leia, rown i'n meddwl mai dyna ddywedodd e'. Rown i wedi gweld y rhaglen ond heb erioed ei gwylio hi o ddifri. I. B. Griffith a Jenny Ogwen oedd yn cyflwyno ar y pryd.

Beth bynnag, fe setlwyd ar ddyddiad — rwy'n meddwl mai rhyw ddydd Mercher oedd e' — ac ar y nos Fawrth rown i'n canu yn Birchgrove yn ymyl Abertawe gyda Chôr Gyrlais. Fe arhosais yno er mwyn mynd ymlaen i Gaerdydd y bore wedyn. A dyma fi'n ceisio meddwl beth allai fod o 'mlaen i. Ond wir, wedi i fi fynd i mewn, gwneud cyfweliadau ar gyfer Siôn a Siân oedden nhw. Rown i'n barod i droi nôl am adre ar unwaith gan nad own i'n teimlo fod gen i unrhyw obaith. Ond fe wnes i gytuno i fynd i'r cantîn i gael bwyd. Rwy'n dipyn o foi am fy mol. Yno fe ddywedwyd wrtha i fod rhai wedi cael cyfweliad yn y bore a bod rhagor yn cael gwrandawiad yn y prynhawn. Wel, doedd man a man i fi roi cynnig arni. Ond pan es i mewn i'r stiwdio roedd yno wynebau cyfarwydd iawn o fyd teledu, sêr oedd i'w gweld ar y sgrîn yn wythnosol. Rown i'n fwy argyhoeddedig nawr nad oedd gen i unrhyw obaith. Yno hefyd roedd rhai enwau amlwg o'r byd eisteddfodol, pobol roeddwn i'n eu hadnabod yn dda.

Fe ddaeth y cyfweliad, a'r cyfan ofynnwyd i fi ei wneud oedd agor a chau rhaglen Siôn a Siân. Croesawu pawb i'r rhaglen, cynnal rhyw fath ar ddeialog gyda Jenny Ogwen ac yna cloi.

Wedyn fe ddiolchodd Ieuan Davies i fi am ddod lawr. Fe esboniais ac ymddiheuro am i fi ddod lawr o gwbwl. Doedd gen i ddim syniad y byddai yna gyfweliadau. Rown i wedi camddeall a meddwl fy mod i'n cael cynnig y swydd pan ffoniodd Ieuan fi. Ateb Ieuan oedd y cawn i wybod y canlyniad ac wrth gerdded gyda fi tuag at y drws fe ddiolchodd unwaith eto a rhyw awgrymu y cawn i wybod yn y dyfodol agos. A dyna i gyd a ddigwyddodd.

Fe es i adre. Roedd Caerdydd bryd hynny yn rhibin o ffordd yn ôl a blaen. Yna fe ges i alwad ffôn bore drannoeth yn cynnig y swydd, ac fe gytunais ar unwaith. Yn ddiweddarach fe dderbyniais lythyr oddi wrth I. B. Griffith, un o'r llythyron hyfrytaf i fi ei dderbyn erioed. Roedd e' wedi clywed mai fi fyddai'n cymryd drosodd fel cyflwynydd ac roedd e' am ddymuno'n dda i fi. Llythyr i'w drysori a llythyr hefyd a fu'n anogaeth fawr i fi.

Am 19 mlynedd fe fûm i'n cyflwyno Siôn a Siân. Yn ystod y cyfnod hwnnw fe genais i dros 700 o ganeuon. Roedden ni'n recordio dwy raglen mewn diwrnod ar y cychwyn ac ar ôl i'r rhaglen gyntaf gael ei dangos fe ysgrifennodd rhywun yn dweud nad oedd unrhyw synnwyr pam na chawn i ganu ar y diwedd. Fe dderbyniodd Ieuan y syniad ar yr amod fy mod i'n derbyn ceisiadau gan y gwylwyr. Yn bersonol rown i'n teimlo y byddai hyn yn bwysicach na chynnig gwobrau. Ar bob rhaglen gwis heddiw mae 'na wobrau fel rhyw abwyd er mwyn cadw'r rhaglenni'n boblogaidd.

Beth bynnag, ar ddiwedd y drydedd raglen fe genais i gân ac fe ddwedwyd ar ôl y rhaglen fy mod i'n awyddus i dderbyn ceisiadau. O ganlyniad i hyn fe ddaeth ceisiadau o bobman ac fe wahoddwyd Janice Ball i'r rhaglen fel cyfeilydd gan ein gwneud ni'n dri, Janice, Jenny a finne.

Fe fu gen i lawer o ferched ar y rhaglen. Roeddwn i'n debyg iawn i Harri'r Wythfed. Fe fu Jenny gen i ddwywaith. Yna fe ddaeth Sara Tudor, merch o Sir Fôn. Fe aeth hi ac fe ddaeth Rosalind Lloyd. Pan adawodd honno fe ddaeth Mair Rowlands. Ac ar ei hôl hi fe ddychwelodd Jenny am sbel. Yna, wedi i Jenny adael am yr eildro fe ddaeth Mari Emlyn. Hi oedd y gyflwynwraig olaf fu gen i.

Fe fu Janice Ball gen i drwy'r cwbwl. Roedd hi'n gyfeilydd arbennig iawn. Doedd dim gwahaniaeth sut byddwn i'n teimlo. Petawn i mewn annwyd trwm, fe fyddai Janice yn cyfeilio mewn cyweirnod isel. Os oeddwn i'n teimlo'n dda, a'r gân â thipyn o gic ynddi, fe chwaraeai mewn cyweirnod uwch.

Roedd hi'n anodd iawn gyda chaneuon Siôn a Siân gan y bydden ni'n gorfod gweithio i amser. Os oedd pennill neu ddau yn ormod roedd rhaid torri yn rhywle, ac yn rhywle call. Doedden ni ddim yn gwybod beth fyddai'r hyd angenrheidiol nes mynd ati i recordio'r rhaglen. Oherwydd hynny fe fyddwn i'n aml iawn yn gorfod cael *idiot board* gyda'r geiriau wedi'u hysgrifennu arno fe mewn llythrennau breision. Roedd hyn y peth mwyaf dychryn mewn bod. Roedd yn well gen i fod hebddo fe.

Pan ddaeth Eifion Lloyd Jones yn gynhyrchydd i'r gyfres fe fyddai e', oherwydd prinder caneuon, yn ysgrifennu geiriau ar gyfer tonau cyfarwydd. Ond yn aml iawn fyddwn i ddim yn cael y geiriau tan fore'r recordio. Felly, yn ogystal ag ymarfer y symudiadau a'r amseru a sgwrsio rhag blaen â'r parau ac ati roedd yn rhaid cael braslun o'r geiriau, neu eu dysgu os medrwn i. Ac roedd hyn, cofiwch, yn digwydd ddwywaith y dydd.

Ond i ddod yn ôl at yr *idiot board*. Y diweddar Henry Chambers Jones oedd y rheolwr llawr. Fe fyddwn i'n ei weld yn aml yn neidio ar ei draed gan fy ngyrru yn fy mlaen. Yn amlwg, fe fyddai e' wedi cael cyfarwyddyd fod y rhaglen yn rhedeg yn rhy hir. Ond roedd e'n mwynhau gymaint fel y byddai e'n anghofio weithiau.

Henry fyddai'n dal yr *idiot board*. Un tro roedd gen i ddau bennill i'w canu. Roedd gen i grap go lew ar y pennill cyntaf ond pan gododd e' eiriau'r ail bennill roedd y bwrdd â'i ben i waered. Bu'n rhaid i fi stopio. Diolch byth nad oedd hi'n rhaglen fyw.

Finne wedyn yn tynnu coes Henry, 'Y twpsyn diawl, pam na wnei di ddal y bwrdd yn iawn?'

'Petaet ti'n dysgu'r geiriau'n iawn,' medde Henry, 'fyddet ti ddim o fy isio i wedyn.'

Roedden nhw'n ddyddiau aur yn HTV bryd hynny. Recordio'r rhaglenni ym Mhontcanna, ac am gyfnod yn ystod misoedd yr haf fe fuon ni'n recordio ar set oedd wedi'i chodi yn yr awyr agored ar y lawnt y tu allan i'r clwb. Yr adeg honno fe fyddai pawb yn tyrru i'r clwb. Aled Vaughan, yn bennaeth HTV bryd hynny, Euryn Ogwen yn gynhyrchydd, Geraint Rees, Ieuan Davies,

Dorothy Williams, Jean Parry Jones. Roedd pawb yn un teulu mawr.

Dim ond un stafell newid oedd yno, a Jenny a finne yn gorfod siario. Cael colur wedyn a phawb yn adnabod ei gilydd wrth eu henw cyntaf, pawb yn ffrindiau. Cwrdd yn y clwb wedyn bob nos. Roedd e' fel clwb cyfeillion. Aled Vaughan yn agored i drafod unrhyw broblem.

Am gyfnod byr fe wnaethon ni recordio'r rhaglen yn Yr Wyddgrug gyda Dorothy Williams yn cyfarwyddo ond Caerdydd oedd gwir gartre'r rhaglen.

I fi roedd Siôn a Siân yn gyfle arall i gyfarfod â phobol. Ac yn y cyfamser rown i'n dal i ganu mewn tua 80 o gyngherddau'r flwyddyn. Yna fe ymestynnodd Siôn a Siân i fod yn sioe lwyfan fin nos. Ar ôl dewis man i fynd iddo fe fyddwn i, Jenny a Janice yn mynd draw yno, HTV yn talu am yr artistiaid ac yna'r elw i gyd yn mynd at achos da yn lleol.

Fe fedra i gofio'r sioe lwyfan gyntaf a wnaethon ni, yn Sanclêr, yn neuadd Ysgol Griffith Jones. Noson ysgubol, y lle yn orlawn. Roedd ganddon ni bedwar pâr, a'r parau i gyd yn cael cloc yn wobrau, a finne'n canu rhwng ymddangosiad y gwahanol barau er mwyn ymestyn y noson i ddwy awr. Fe fyddai Jenny hefyd yn cyflwyno eitem a Janice wedyn yn cyflwyno datganiad ar y piano. Finne wedyn yn adrodd ambell i jôc.

I Siôn a Siân mae'r diolch fy mod i'n ddiweddarach wedi dod i arwain nosweithiau llawen a chyngherddau. Ar y sioe roedd gen i gyfle i gyflwyno ac i siarad â phobol ar lwyfan. Fel unawdydd mewn cyngerdd, dim ond canu fyddwn i. Ond yn y sioe lwyfan yn neuadd Ysgol Griffith Jones a mannau eraill, roedd modd cael pobol yn eu cynefin a finne'n cael y cyfle i gynnal *rapport* gyda nhw.

Rwy bob amser wedi meddwl y byddai e' wedi bod yn gyfle euraid i'r cyfryngau petaen nhw wedi defnyddio theatrau Cymru. Roedden nhw'n fannau delfrydol ar gyfer llwyfannu a recordio rhaglenni fel Siôn a Siân gyda'r gwahanol barau yn ymddangos o flaen eu pobol eu hunain.

Ar ddiwedd y sioeau hyn fe fyddwn i yn rafflo un o'r clociau a gâi eu rhoi fel gwobrau. Fe fyddai pob cloc yn codi rhwng £80 a £100, a'r arian yn mynd i drysorydd y noson.

Fe fuon ni ar lwyfannau Cymru yn y Gogledd, y De a'r Canolbarth, ym mhob man. Nosweithiau cofiadwy. Anghofia i byth mo'r diweddar annwyl Dic Davies o Allt y Ferin. Dic oedd yn ymddangos gyda Dathan ar y rhaglen arddio gynt. Roedd Dic wedi ymbil arnon ni i gynnal noson ym Mhontargothi gyda'r elw yn mynd i'r sioe leol. Roedd y lle yn orlawn. Yn wir, fe fu'n rhaid troi nifer i ffwrdd o'r drws. Noson i'w chofio.

Roedd y parau ar y llwyfan a'r cwestiynau wedi'u paratoi yn arbennig ar eu cyfer. Roedd rhai pobol leol wedi datgelu ambell gyfrinach fach ddoniol am rai o'r cystadleuwyr. Fe fu honno yn un o uchafbwyntiau'r sioe lwyfan.

Fe fu'r gyfres yn fodd i ni gyfarfod â chymeriadau di-rif. Dyna i chi Bertie Stephens a'i wraig o Langeitho, er enghraifft, ar raglen arbennig ar gyfer Dydd Nadolig. Roedden ni wedi rihyrsio a dyma ni'n cychwyn ffilmio. Fel roedd Bertie a'i wraig yn dod i lawr y grisiau dyma'i wraig yn ei drosglwyddo i Jenny.

'Ewch chi ag e' lawr, bach,' medde hi. 'Fe fydda i nôl nawr. Rwy wedi anghofio'n menig.'

A bant â hi.

Bryd arall fe fydden ni'n ceisio dod ag ambell i eitem wahanol i mewn er mwyn amrywiaeth. Unwaith, fe ddaeth Jenny ymlaen gyda rhes o deis ar hambwrdd. Y syniad oedd gofyn i'r wraig pa un o'r teis fyddai 'i gŵr yn ei ffansïo. Pan ddaeth y gŵr yn ôl dyma fi'n ei holi.

'Nawr 'te, p'un o'r teis yma fyddech chi'n ei leicio o gwmpas eich gwddw?'

Fe edrychodd e' braidd yn od, a doedd hynny'n ddim syndod.

'Diawl,' medde fe, 'sa'i isie un o'r rheina rownd fy ngwddw.'

Roedd Jen wedi dod yn ôl â'r hambwrdd anghywir. Nid teis oedd arno ond rhes o wregysau.

Pâr parchus o Dde Cymru wedyn yn cael eu dal yn twyllo. Rown i wedi'u rhybuddio nhw yn ystod y toriad i beidio â thwyllo gan ychwanegu, petaen nhw'n cael eu dal yn twyllo y bydden nhw'n colli'r cyfan.

A wir, fe'u daliwyd nhw'n twyllo. Fe fu'n rhaid i ni esbonio wrthyn nhw y câi'r rhaglen ei dangos fel y'i recordiwyd hi, o barch iddyn nhw fel na fyddai eu ffrindiau'n gwybod. Ond fe esboniwyd ymhellach na fydden nhw'n cael cadw arian y jacpot. Fe ddangoswyd y tâp iddyn nhw mewn stafell ddirgel ac fe wnaethon nhw gyfaddef iddyn nhw dwyllo. Pan ddangoswyd y rhaglen yn ddiweddarach ar y teledu roedd pawb yn eu llongyfarch am ennill £1,000.

Yn ddiweddarach rown i'n unawdydd mewn cyngerdd yng nghapel y bobol hyn ac fe ddaeth y wraig ata i.

'Rwy wedi bennu â chi, Dai Jones, ac mae pawb yma wedi digio wrthoch chi,' medde hi. 'Fe wnaethon ni wylio'r rhaglen a doedd dim byd o'i le arni.'

Wrth gwrs nad oedd dim byd i'w weld o'i le. Roedd

y twyll wedi'i dorri allan a'i guddio. Fe ddylai'r ddau fod yn ddiolchgar am inni beidio â datgelu'r twyll. Ond dyna fe. Gyda llaw, roedd y ddau yn flaenoriaid hefyd.

Hen gymeriad arall o'r Gogledd wedyn, gwerin gwlad Cymru o ardal Eglwys-bach, Conwy. Ennill y cloc, wrth gwrs. Bum mlynedd yn ddiweddarach dyma lythyr yn cyrraedd.

'Dwi ddim wedi'ch gweld chi ers talwm,' medde'r llythyr. 'Gobeithio eich bod chi'n cadw'n iach. Prif bwrpas danfon y llythyr yma yw hyn: mae batri'r cloc wedi rhedeg allan. Tybed oes modd i chi ddanfon batri newydd?'

Roedd y batri wedi para pum mlynedd. Ond fe gafodd yr hen gymeriad lond bocs o fatris newydd am ddim gan HTV.

Fe fyddai ambell gwestiwn yn peri trafferth weithiau. Unwaith fe ddaeth y gair *chivalry* fyny mewn cwestiwn. Rwy'n ei chael hi'n anodd ei ynganu heddiw. Ond doeddwn i erioed wedi'i glywed e' o'r blaen heb sôn am wybod beth oedd ei ystyr. Rhywbeth tebyg i hyn oedd y cwestiwn.

'Ydi'r gŵr yn gwybod beth yw *chivalry*?'

Ac yn fy myw, fedrwn i ddim o'i ynganu. Fe wnes i roi cynnig ar *chilvary*, ar *chivelary*, a phob cynnig yn anghywir. Ac wrth gwrs, fel rown i'n gwylltio a cheisio'i ynganu fe'n gyflymach, gwaetha i gyd own i'n mynd. A'r gynulleidfa'n beichio chwerthin. I wneud pethe'n waeth fyth dyma'r fenyw fach own i'n ei holi yn rhoi gwers i fi ar sut oedd ynganu'r gair.

Bryd arall, cwestiwn i'r wraig.

'Pan ddaw'r gŵr i'r tŷ, ble bydd e'n gadael ei welingtons? Fydd e'n eu tynnu y tu allan? Fydd e'n eu tynnu nhw yn y *porch*? Fydd e'n eu golchi nhw'n lân a'u cadw nhw am ei draed? Neu fydd e'n cerdded mewn ynddyn nhw fel maen nhw?'

Nawr, rown i'n meddwl fod ganddi hi ddigon o ddewis. Ond dyma hi'n ateb.

'Yn y *conservatory.*'

Wyddwn i ddim beth ar y ddaear oedd *conservatory.* Doeddwn i erioed wedi clywed y gair. Felly fe'i sgrifennais ar ddarn o bapur er mwyn ceisio'i gofio. Ond pan ddaeth hi'n amser i hysbysu'r gŵr o ateb ei wraig fe aeth pethe o chwith braidd.

'Yn y *conservatives,*' medde fi, a phawb yn chwerthin.

Roedd y chwerthin yn bwysig i lwyddiant y rhaglen. Ambell waith, pan gawn i gystadleuydd â chwerthiniad iach fe fyddwn i'n ceisio godro hynny.

Fe ddaeth gweinidog o'r De ar y rhaglen unwaith. Roedd y cwestiwn olaf yn werth £1,000 ond roedd e'n gwestiwn lletchwith i weinidog.

'Beth fydde'r gŵr yn ei gymryd petai e'n cael dos ofnadwy o annwyd? Llaeth poeth ac *Aspirins*? Moddion gyda mêl a lemwn? Neu gwydred go dda o wisgi a mynd i'r gwely?'

Dyma'r wraig yn pendroni am eiliad. 'Wel, waeth i fi ddweud y gwir, mil o bunnau neu beidio,' medde hi.

'Wel,' medde fi, 'mae'n rhaid i chi ddweud y gwir.'

'Iawn,' medde hi, 'glased o wisgi.' A'r gynulleidfa'n sibrwd ymysg ei gilydd.

Fe ddaeth y gŵr allan ond ei ateb ef oedd, 'Llaeth poeth a mêl cyn mynd i'r gwely.'

Fe fu'n rhaid i fi dorri'r newydd mai wisgi oedd ateb ei wraig.

'Fe ddylwn i fod wedi dweud hynna,' medde fe'n drist, 'waeth dyna'r gwir.'

Fe gostiodd hynny fil o bunnau iddo fe.

Un arall wedyn a mil o bunnau ar y cwestiwn olaf. Sut bajamas oeddech chi'n ei wisgo neithiwr? Un streipog, un plaen neu un blodeuog?'

'Diawch, fydda i byth yn gwisgo pajamas,' medde fe.

Fe ddaeth ei wraig ymlaen.

'Nawr 'te, am fil o bunnau, sut bajamas oedd eich gŵr yn ei wisgo neithiwr? Un plaen, un blodeuog, un streipog? Neu oedd e' ddim yn gwisgo pajamas o gwbwl?'

'Ddim yn gwisgo un o gwbwl? Jiw, peidiwch â dweud y fath beth. Un blodeuog,' medde hi.

Ac rwy'n cofio dweud wrthi y câi hi sawl pâr o bajamas am fil o bunnau.

Stori dda oedd honno wedyn wedi i ni fod yn Nhal-y-bont. Roedd hi'n arferiad i dynnu llun y parau gyda'r cyflwynwyr er mwyn cael cyhoeddusrwydd yn y papurau lleol. Fe ymddangosodd y llun arbennig hwn ar dudalen flaen y papur bro, *Papur Pawb*. O dan y llun roedd y geiriau canlynol: 'Cyflwynwyr Siôn a Siân gyda'r cystadleuwyr ar ôl noson dda iawn yn dangos eu cociau.'

Oedd, roedd yr 'l' wedi'i gadael allan.

Cyn belled ag yr oedd y sioeau llwyfan yn y cwestiwn, roedd hi'n hawdd iawn mynd ar goll wrth chwilio am lefydd. Rwy'n cofio Sara Tudor a fi'n mynd lawr i Gorseinon. Sara'n dilyn y cyfarwyddiadau ac yn dweud y dylai'r neuadd fod ar y chwith. Beth oedd yno ond lle gwerthu teiers.

'Diawch,' medde fi, 'dydyn ni erioed yn gwneud Siôn a Siân mewn lle teiers?'

'Sori,' medde Sara, 'mae'r map â'i ben i waered.'

Mewn rhyw neuadd neu'i gilydd wedyn roedd Janice a Jen am fynd i'r toilet a dim ond toilet Elsan ar y tu allan oedd yno. Ac roedd rhediad tuag i lawr yno. Dyma nhw'n gofyn i fi ddal y drws a finne'n eu hannog i beidio â bod yn hir gan ei bod hi'n oer y tu allan. Yna dyma fi'n teimlo fy nhraed yn cynhesu. Nid am fod y tywydd yn gwella ond am fod twll yn yr Elsan.

Roedd 17 mlynedd yn amser hir i fod ar Siôn a Siân, ac fel 'Dai Siôn a Siân' y cawn i fy adnabod. Fe fu'r sioe yn gyflwyniad perffaith i fi i fyd teledu ac yn help garw'n ariannol i ddechrau byw.

Wedyn fe fues i'n gwneud ychydig o raglenni eraill. Cyfres ar gneifio, er enghraifft, pan oedd cystadleuaeth gneifio'r byd yng Nghorwen. Rown i'n hen gyfarwydd â chneifio, wrth gwrs, doedd e'n ddim byd newydd i fi. A fi wnaeth gyflwyno cyfres gynta Cneifio Corwen, y *Corwen Shears*. Ond roedd y bencampwriaeth byd yn rhywbeth gwahanol.

Rwy'n cofio mynd gyda'r cynhyrchydd, Eifion Lloyd Jones, a gweld y bechgyn yma'n cneifio ym mhafiliwn mawr Corwen. Cneifwyr gorau'r byd yno, y Fagans o Seland Newydd, y Wilsons o'r Alban a goreuon Cymru, cneifwyr fel Arwyn Davies o ardal Corwen er enghraifft, a Brian Davies o Bontsenni. Welais i erioed y fath beth.

Pan es i mewn y bore hwnnw a'r gystadleuaeth newydd ddechrau rown i'n credu am funud fy mod i yn y *Grand National*. Roedd y sylwebydd yn swnio'n union fel Michael O'Sullevan.

'And he's on the last one now, he's got two strokes left on the left hand side of this ewe. And he's going, it's Fagan all the way. But no, he's being caught up . . . '

Roedd y peth yn anhygoel. A dyma geisio mynd i fewn i'r rhaglen heb unrhyw ymarfer. Gyda llaw, dydw i erioed wedi medru gweithio i sgript. Mae'n rhaid i fi wneud y cyfan fy hunan, a dyna un o'r pethe fu'n rhwystr mawr i'r bobol trosleisio, fel Trosol ac ati. Hynny yw, y bobol sy'n gyfrifol am yr is-deitlau Saesneg ar waelod y sgrîn. Fe fydden nhw'n gofyn rhag blaen a fedren nhw gael y sgript. Wel, doedd gen i byth sgript. Yr hyn ydyn ni'n ei wneud erbyn hyn yw danfon copi o'r rhaglen orffenedig i'r bobol cyfieithu. Mae'n braf cael braslun ar gyfer rhaglenni byw fel Rasus, ond fel arfer mae pob rhaglen, cyn belled ag ydw i yn y cwestiwn, yn ddi-sgript.

Fe wnes i gyfres fach arall, Tregampau, lle roedd pentrefi yn cystadlu yn erbyn ei gilydd ar ganu ac adrodd a gwaith llaw ac yn y blaen. Sara Tudor a finne oedd yn cyflwyno ac roedd yna dri beirniad. Rhywbeth yn debyg i Fwrlwm Bro a ddaeth yn ddiweddarach gan HTV.

Rhyw gyfres fer arall o chwe rhaglen oedd Jambo Bwana, pan es i allan ar y Masai Mara a'r Serengeti yn Kenya gyda Ken Williams am chwe wythnos. Fe wnes i fwynhau pob munud yno. Aros yn Nairobi yn yr Intercontinental Hotel ac yna mynd allan ar y saffari camelod ar y Rumaruti, gorwedd allan fin nos ar lan yr afon mewn bag cysgu. Ac o gynnau tortsh a'i chyfeirio at yr afon fe fedrwn i weld llygaid y crocodeils yn disgleirio. Diolch byth, roedden ni fyny uwchlaw'r afon a'r geulan yn ddigon serth fel na fedren nhw ddod aton ni.

Fe fuon ni hefyd yn gwersylla mewn pebyll yn Kichwatempo. Fe fydden ni'n rhoi ychydig sylltau i'r dyn oedd yn gofalu am y pebyll er mwyn eu cadw nhw'n drefnus. Roedd y pebyll i gyd yr un siâp a'r un lliw a'r unig ffordd fedrwn i wybod p'un oedd fy nhent i oedd fod byffalo wedi caca y tu allan. Fe wnes i dalu'r dyn bach am beidio â glanhau'r caca, er ei fod e' wedi

114

sychu'n golsyn, gan ei fod e'n help i fi wybod p'un oedd fy mhabell i.

Un noson roedd yna barti i lawr mewn cwm cyfagos. Doedd ganddoch chi ddim hawl i fynd yno heb *escort* gan fod yno lewod ymhob man. Roedd pawb bron wedi mynd o 'mlaen i, felly fe es i gyda rhai o'r brodorion lleol. Ond roedd un dyn camera ar ôl ac fe ddaeth hwnnw ar ei ben ei hunan o fewn tua hanner awr. Roedd e' wedi dod â darn bychan o bren gydag e'.

'Bachan,' medde fi, 'rwyt ti'n ddewr yn dod lawr ar dy ben dy hunan fel hyn.'

'O, mae'n iawn,' medde fe, 'ma' pren gen i.'

'Gwranda,' medde fi, 'petai llew wedi cael gafael ynot ti fe fyddai wedi defnyddio dy ddarn pren di fel *toothpick*.'

Rown i'n medru clywed rhuo'r llewod a gweryru'r sebras o'r gwely. Ond roedd e'n brofiad. Fe gawson ni weld y golygfeydd rhyfeddaf. Un prynhawn roedden ni wrthi yn ffilmio llewod yn cornelu sebra. Fe wnaethon nhw ei amgylchynu a'i ladd e' reit o flaen y camera. A dyna brofiad oedd gweld y creaduriaid eraill yn aros i gymryd eu tro i fwyta. Y llewod yn cael eu gwala a'u gweddill ac yna'r anifeiliaid eraill mewn cylch y tu allan, yn union fel petaech chi mewn angladd, a'r perthnasau agosaf yn closio at y bedd ac yna ffrindiau'r teulu yn dilyn yn amyneddgar. Ymhen rhyw hanner awr doedd dim byd ar ôl o'r sebra druan, dim hyd yn oed ddarn o asgwrn.

Roedd pobol y Masai yn bobol hyfryd. A'r Sambulus hefyd. Fe gawson ni fynd i'w gwersylloedd nhw i ffilmio heb unrhyw drafferth. Doedd dim pwynt cynnig arian iddyn nhw yn dâl. Mewn geifr roedden nhw'n delio. Prynu'r geifr yn y dre yn y bore a mynd â nhw ar dop y car. Ac ar un diwrnod poeth iawn dyma fi'n teimlo rhyw wlybaniaeth a meddwl ei bod hi'n bwrw glaw. Ond na, y geifr oedd yn piso uwch ein pennau ni a hwnnw'n diferu droston ni. A chredwch chi fi, mae piso geifr yn stwff drewllyd. Roedd angen llawer o *aftershave* erbyn y nos.

Ond y syndod oedd fod modd i ni gael cawod boeth yno. Hen ddrymiau olew yn llawn o ddŵr a hwnnw'n cael ei boethi gan dân a phibellau yn rhedeg i mewn i gefn y pebyll. Yn ara deg iawn y byddai e'n disgyn ond o leia roedd modd ymolchi.

Roedd gwesty'r Intercontinental yn Nairobi yn anferth. Roedd hi fel tref ei hunan. Ac roedd y staff i gyd yn ein hadnabod ni wrth ein henwau. Doedd byth angen i ni giwio. Yna ar ôl pum wythnos ar y Masai Mara fe ddychwelon ni i'r gwesty a dyma un o'r gweithwyr y tu ôl i'r cownter yn fy nghyfarch i fel Mr Jones. Nid yn unig wnaeth e' estyn allwedd y stafell i fi ond roedd e'n cofio rhif y stafell lle roeddwn i'n aros y tro cyn hynny. Roedd cof fel eliffantod gyda nhw.

Ac o sôn am eliffantod, fe fu bron i ni gael ein lladd gan rai o'r rheiny. Roedden ni wedi mynd am dro i'r coed tra ar saffari a beth oedd yn dod i gyfarfod â ni ond haid o eliffantod. Fe fu'n rhaid rhedeg.

Un diwrnod hefyd fe fuon ni'n chwilio am eliffant er mwyn ei ffilmio. Fe gawson ni hyd i un o'r diwedd ond fe gafodd e' lond bol ar yr holl ffilmio a thynnu lluniau. Fe aeth e'n gynddeiriog. Fe glymodd ei drwnc o gwmpas coeden larwydden go fawr ac fe'i rhwygodd hi o'r gwraidd yn ei dymer.

Yr un prynhawn roedden ni wedi parcio ger rhyw glawdd i chwilio am wahanol anifeiliaid. Dim ond wedi agor drws y fan oeddwn ni pan deimlon ni ergyd sylweddol nes siglo'r cerbyd. Beth oedd yno ond baedd anferth, sef *wart-hog*, wedi dod allan o'i ffau. Fe adawodd e' dolc anferth ar ochr y fan.

Fe fues i mewn balŵn ar y Masai Mara hefyd. Mynd am bump o'r gloch y bore yn y tawelwch pan oedd yr anifeiliaid gwyllt yn codi. Dyna olygfa. Hedfan yn dawel uwch eu pennau a gweld y sebras, y *wildebeests*, a'r llewod. Eu gweld nhw i gyd yn codi. A dim sŵn, dim ond hisian tawel y nwy o'r balŵn.

Roedden ni'n bump yn hedfan, y dyn sain a'r dyn camera, Ken a fi a'r dyn oedd yn hedfan y balŵn. Fe ddisgynnodd y fasged ar ei hochr reit yn ymyl tomen o dail eliffant. A chredwch chi fi, pan fo eliffant yn tendio'i fusnes mae e'n gollwng tua dwy lond whilber ar y tro. Fe ddisgynnodd y dyn sain ynddo fe â'i ben i waered hyd ei ysgwyddau. Lwcus ei fod e'n gwisgo caniau am ei glustiau neu fe fyddai e' wedi colli ei glyw am byth.

Yn dilyn y daith falŵns — roedd tua phump ohonyn nhw i gyd — dyma gael brecwast shampên. Gwledd o fwydydd wedi'u ffrio a digonedd o shampên. Rown i'n teimlo fel brenin. Roedd bod yn Affrica yn brofiad na wna i byth mo'i anghofio. Roedd hi'n fraint cael bod yno heb sôn am gael ein talu am hynny.

Nid dyna'r tro cynta i fi fod mewn balŵn. Fe ges i brofiad ofnadwy o hedfan mewn un ar gyfer Cefn Gwlad hefyd. Eirian Llanwrda o gwmni A. D. Clad a finne yn codi'n osgeiddig ond yn disgyn y tro cynta mewn coeden wrth ymyl capel y pentre. Y noson honno roedd yn rhaid hedfan o gomin Llangadog fyny am Lanymddyfri a Chynghordy. Fe orffennodd y nwy, a heb nwy mae'r balŵn yn disgyn. Doedd dim gwynt i'n cynnal ni, a ninnau ond prin yn cadw uwchben gwifrau trydan a pheilons. Roedden ni'n medru clywed hymian y trydan yn glir. Fe wnes i fygwth neidio allan, gymaint oedd fy ofn. Roedd Geraint Rees erbyn hyn ar ben clawdd a'r criw yn ei ddilyn.

'Dai, ry'n ni wedi cael digon,' gwaeddodd Geraint. A dyma fi'n gweiddi nôl, 'Rwy inne wedi cael hen ddigon hefyd, 'taswn ni ond yn medru dod lawr.'

Doedd dim gobaith disgyn nes i awel o rywle, drwy ryw ryfedd wyrth, ein cario ni o berygl y peilonau i ganol diadell o hyrddod Beulah. Does gen i fawr i'w ddweud wrth ddefaid Beulah fel arfer ond rown i'n falch o'u gweld nhw'r noson honno.

I droi at raglenni teledu eraill, fe ges i'r fraint o fod ar Noson Lawen byth ers y gyfres gyntaf. Rwy wedi cyflwyno gwahanol raglenni ar Nos Galan yn weddol reolaidd ar hyd y blynyddoedd. Rwy'n cofio unwaith Hywel Gwynfryn lawr yng Nghaerdydd a finne yn Glasgow ac yn gwisgo cilt gyda'r Cymry alltud.

Yna dyma fenter newydd sbon yn cael ei lansio ac erbyn hyn rwy yn y bumed gyfres o honno, sef Rasus. Rwy wrth fy modd gyda hon. Ar hyd y blynyddoedd rwy wedi mynychu rasus boed rheiny yn Llan-non neu Dregaron, Blaenpennal neu Dalgarreg a gweld ceffylau'r cyfnod, Black Bess, Cock o' the North, Lyn Direct, April Morn, a Pilot, ceffyl o Dderigaron wedyn. Roedd yr enwau i gyd ar flaen fy nhafod.

Dyma gyfle'n dod ar S4C i gyflwyno'r gyfres gyntaf o Rasus. Mae hon yn sicr yn llwyddiannus. Un o gampau cefn gwlad. Mae llawer ohonon ni wedi laru ar gael ein byddaru gan rygbi, pêl-droed a chriced ac ati. Dydw i ddim yn cael unrhyw bleser yn gwylio unrhyw gamp ond tenis. Ond am rasus ceffylau, wel maen nhw'n wych. A dyma'r unig sianel ym Mhrydain sy'n rhoi sylw i rasus trotian. Mae hi wedi bod yn fraint cael bod yn rhan ohoni.

Rwy wedi cael y fraint o ffilmio Rasus yn Seland Newydd, yr Almaen a Ffrainc erbyn hyn ac mae 'na sôn am fynd i America. Mae hon, wrth gwrs, yn gyfres fyw. Ac mae teledu awr yn fyw yn her arbennig sy'n gofyn am ddisgyblaeth ac ymarfer y cof a bod yn barod rhag ofn i bethe fynd o le. Ond yn anad dim mae Rasus yn rhoi cyfle i rywun gyfarfod â phobol o'r byd amaethyddol sydd ag ychydig yn fwy o ddiawl ynddyn nhw, pobol sy'n hoffi bet ac ati.

Roedd Rasus yn gyfle hefyd i gyfarfod â hen ffrind o ddyddiau ysgol, John Watkin o Aberystwyth, sydd â'i gwmni yn gyfrifol am y gyfres. A chael dod i adnabod hefyd un o gyfarwyddwyr ieuengaf Cymru, Geraint Lewis sy'n fab i Rhys Lewis, un sydd ei hun â phrofiad maith o gyfarwyddo rhaglenni gyda naws cefn gwlad.

Mae 'na lawer o hwyl wrth ffilmio Rasus hefyd. Rwy'n cofio galw gyda phâr ifanc a'u dau o blant i ffilmio *promos*, hynny yw, rhyw fath ar hysbyseb ar gyfer y rhaglen. I'r hen blant rown i'n dipyn o arwr ac roedden nhw'n fy nilyn i bobman. Ddiwedd y prynhawn roedd arna i angen mynd i'r toilet. A dyma un o'r bechgyn, oedd tua saith oed, yn mynnu mynd â fi yno. Roedd e'n un o'r toiledau newydd yma gyda *bidet* ynddo fe.

'Jiw,' medde fi, 'mae gen ti ddau le pî-pî yma.'

'Na,' medde fe, gan bwyntio at y *bidet*, 'Un mam yw hwnna.'

Mae'n rhaid cyfeirio at y daith i Munich i ffilmio pencampwriaethau trotian y byd. Taith ddychrynllyd oedd honno. Ar y ffordd nôl fe ddigwyddodd y peth rhyfeddaf. Pan es i i'r maes awyr roedd popeth yn barod. Mynd at y cownter i ddangos fy nhocyn ond yn fy myw fedrwn i gael hyd i'r pasport. Fe wyddwn i'n iawn 'mod i wedi'i adael e' yn ystod y dydd gyda'r cardiau credyd mewn poced ar ystlys y cês bach. Ond roedd y pasport a'r cardiau wedi diflannu. Rown i'n credu'n bendant fod rhywun wedi'u dwyn nhw. Ac wrth gwrs, chawn i ddim mynd ar yr awyren heb gael caniatâd gan yr awdurdodau.

Draw â ni, fi, Hywel Davies y joci a Geraint Lewis i'r adran ddiogelwch. Roedd Hywel Joci yn crynu yn ei socs. Doedd dim arwyddion ar y waliau yno ac roedd gen i ryw deimlad 'mod i yn y lle anghywir. Dim ond drysau welwn i. Wrth ymyl un drws roedd switshis o bob math a botwm coch mawr. Dyma wthio'r botwm coch. Fe agorodd y drws ac i mewn â ni. Gyda hynny dyma'r seirens yn canu dros bob man a swyddogion yn rhuthro aton ni. Menyw oedd un, a honno yn fenyw a hanner, yn union fel rhywun allan o Cell Block H. O'n cwmpas ni roedd y swyddogion erbyn hyn, a'r rheiny'n chwifio drylliau o dan ein trwynau.

Wnes i ddim deall yr un gair o'r fenyw fawr yma. Ac yna dyma blismon yn gofyn yn ddifrifol, *'Why you push red button?'*

'Well,' medde fi, *'that was the only button that would open the door.'*

'Oh, I see. Come!'

A draw â ni at ryw ddesg a dechrau esbonio 'mod i wedi colli'r pasport. Doedd gen i ddim byd i brofi pwy oeddwn i. Dim o gwbwl. A Geraint a Hywel yn crynu gymaint â fi. Nawr rown i yn gofidio.

Roedd ganddon ni hanner awr cyn i'r awyren godi. Yna fe aeth yn ddeng munud. A dyma ddeall y byddai'n rhaid i ni adael ar awyren hwyrach. Yna fe gafodd Hywel fynd am fod ganddo fe'r dogfennau cywir. Fe gâi Geraint fynd hefyd ond doedd dim pwynt iddo gan fod y ddau ohonon ni wedi trefnu i deithio adre yn yr un car o Lunden.

Fe ffoniais i'r gwesty i ofyn i rywun chwilio am y pasport. Fe chwiliais innau drwy'r cês unwaith eto. Tynnu fy nillad a chwilio drwy'r cyfan. Chwilio drwy'r dillad oedd yn y cês, hyd yn oed drwy fy nhrôns a 'nghrysau. Dim golwg ohono yn unman. Fe ddisgynnodd bwndel o sanau, wedi'u rholio'n belen ar y llawr ac fe wnaeth rhyw Indian mewn twrban roi cic iddyn nhw yn anfwriadol nes eu bod nhw'n chwyrlïo ar hyd y llawr a finne'n gorfod rhedeg i'w hachub nhw.

Ac yna, ar ôl mwy o falu awyr, fe aeth swyddog â ni heibio'r ddesg ac i mewn i'r awyren ac esbonio wrth y swyddogion yno pwy oedden ni a beth oedd wedi digwydd. A rhybudd i ni fynd yn syth at yr heddlu ar ôl cyrraedd Heathrow.

Bant â ni o'r diwedd, a finne'n dal yn siŵr mod i wedi gosod y pasport ym mhoced fy nghês. Yr unig esboniad oedd fod rhywun wedi dwyn y pasport a'r cardiau credyd. Rown i eisoes wedi ffonio adre i ganslo'r cardiau.

Cyrraedd Heathrow ac ar y bws ar y ffordd o'r lanfa i'r car dyma fi'n gofyn i Geraint sut fedren nhw fod wedi diflannu? Chwilio poced y cês eto. Na, dim byd ond weiers a gwahanol offer ar gyfer y ffôn symudol. Ac yna yn sydyn, a'r cês yn gorwedd yn agored ar fy mol dyma droi at Geraint a gofyn, 'Be' ti'n feddwl rwy'n weld?'

'Na, paid â dweud wrtha i,' medde hwnnw.

Yno, o flaen fy llygaid roedd y pasport a'r cardiau credyd. Fe chwarddodd hwnnw nes bod dagrau yn powlio o'i lygaid, a phawb yn y bws yn edrych yn syn.

'Meddylia,' medde fi, 'bron iawn cael ein saethu a'r cyfan yn y cês drwy'r amser.'

Wedi gwylltio own i, mae'n debyg, a ddim wedi archwilio'r cês yn ddigon trylwyr. Ond roedd e'n deimlad uffernol fod fy nhronsys a'm sanau i wedi bod yn gorwedd ar lawr maes awyr Munich o dan drwynau pawb.

Cefn Gwlad

Fe gyfansoddodd Dic Jones englyn i Gefn Gwlad sy'n crynhoi'r cyfan, fe greda i. Dim ond bardd fel Dic, sydd hefyd yn ffermwr ac yn wladwr fyddai wedi medru gwneud hynny.

> Os yw'r dre yn ddyhead — a ddenodd
> Ddynion o'r dechreuad,
> Mae ynom bawb ddymuniad
> I fyw yn glòs wrth gefn gwlad.

Tuag at ddiwedd fy nghyfnod ar Siôn a Siân y cychwynnais i gyflwyno Cefn Gwlad. Am gyfnod byr fe fu'r ddwy raglen yn cydredeg. Ar y cychwyn roedd i'r gyfres ddau neu dri o gyflwynwyr, Ifor Lloyd, Norman Closs Stephens, Glynog Davies ac yn y blaen. Roedd darnau yn cael eu saethu yn y stiwdio, darnau eraill y tu allan. A dyma Geraint Rees, y cyfarwyddwr, yn gofyn a fyddwn i'n fodlon bod yn gyflwynydd. Fe dderbyniais yn hapus.

Dyma Geraint wedyn yn gofyn sut fyddwn i'n debyg o fynd o'i chwmpas hi. Y syniad oedd gen i oedd gwneud rhaglen gartre ar fy ffarm fy hun ac iddo ef wedyn roi ei farn. Fe saethwyd y rhaglen ac fe'i torrwyd gan Geraint. Roedd e'n fodlon iawn arni, gymaint felly fel iddo fe roi cyfle i fi feddwl am destun arall.

Roedd hyn ar nos Iau ac roedd e' am gael y syniad erbyn y dydd Llun wedyn. Fe wnes i feddwl a meddwl ac ar y dydd Sul fe ffoniais Margaret Hughes, Rhoshaflo,

123

Llanfair Caereinion. Rown i wedi gweld Margaret ar un o raglenni Hywel Gwynfryn ac yn teimlo ei bod hi'n dipyn o gymeriad. Un o'r pethe oedd yn ei gwneud hi'n arbennig oedd ei thafodiaith hyfryd hi, tafodiaith Maldwyn. A hi fyddai testun y rhaglen gyntaf oll, heb ystyried y rhaglen ar fy fferm fy hun.

Roedd hi'n adeg y Nadolig ac roedd plygain mawr ymlaen yn yr ardal. Dyma ffonio Margaret, ond roedd hi yn y plygain. Ar ôl i fi lwyddo i gysylltu â hi fe addawodd gymryd rhan. Fe fu bron iddi hi newid ei meddwl pan ddeallodd y bydden ni yno gyda hi ddydd Llun.

Dyna un o gyfrinachau llwyddiant Cefn Gwlad. Fyddwn ni byth yn rhoi gormod o rybudd i bobol fel ein bod ni'n siŵr o gael tipyn o hwyl byrfyfyr pan gyrhaeddwn ni. Ar y bore dydd Llun dyma ni'n trefnu, fel criw ffilmio, i gyfarfod yn y pentre. A dyna fu'r trefniant a barhaodd o'r cychwyn. Cyfarfod mewn un man canolog a mynd ymlaen gyda'n gilydd. Yn y dyddiau cynnar pan oedden ni mewn cyfrwng ffilm, fe fyddai car y criw camera yn arwain, wedyn car y dyn sain, y tu ôl i hwnnw fe fyddai car y cynorthwy-ydd sain, wedyn car y dyn goleuadau, y tu ôl i hwnnw fe fyddai'r PA, sef y cynorthwy-ydd cynhyrchu, wedyn y cyfarwyddwr yn ei gar, a'r tu ôl i hwnnw wedyn fe fyddwn i yn fy nghar. A'r tu ôl i fi, pan fyddai angen un, fe fyddai ffotograffydd.

Rwy'n cofio mynd i ffilmio'r hen borthmon gwlad Mal Edwards, eto yn ardal Llanfair Caereinion, a hwnnw'n dweud, 'Arglwydd, peidiwch parcio ar y buarth neu fe fydd pawb yn meddwl fy mod i wedi marw a bod y cynhebrwng heddiw.'

Erbyn hyn, wrth gwrs, mae pethe wedi newid gyda'r

dyn camera a'r dyn sain mewn un car a phawb arall mewn ail gar.

Fe fu'r rhaglen ar Margaret yn llwyddiant mawr, gymaint felly fel iddi ymestyn i ddwy raglen arall gyda Margaret yn Smithfield ac yn y Sioe Frenhinol. Fe arweiniodd hyn at gyfres o raglenni ar gymeriadau arbennig. Yna fe welwyd datblygiad pellach gyda rhaglenni tymhorol fel rhifyn arbennig ar gyfer y Nadolig. Anelwyd at wneud rhai o'r rheiny ychydig bach yn wahanol drwy fynd dramor ar adegau.

Yn rhyfedd iawn, y rhaglenni sy'n plesio fwyaf yw'r rheiny pan fydda i yn mynd i dipyn o strach bob hyn a hyn. Mae Dai ar y Piste yn enghraifft dda o hyn gan nad oeddwn i erioed cyn hynny wedi bod yn sgïo, heb sôn am fod ar y piste. Erbyn heddiw rwy wedi dod yn sgïwr gweddol dda. Wna i ddim dweud fy mod i'n sgïwr penigamp ond o leiaf fe fedra i sgïo'n ddigon da i fwynhau. Rwy'n medru gwneud y llethrau i gyd gan ddal i fynd yng nghwmni fy hen gyfaill Wil yr Hafod.

Roedd y rhaglen gyntaf honno ar y piste yn rhaglen arbennig. Doeddwn i erioed yn fy mywyd wedi bod ar yr eira ac rown i fwy ar fy nhin nag ar fy nhraed, yn union fel buwch yn dioddef o'r clefyd llaeth. Ac roedd e'n dymor pan nad oedd gormod o eira. Yr hyfforddwr oedd gŵr lleol, Pierino, yfflon o gymeriad. *'Oh, for Christ-a sake-a, what-a is a-the matter with you?'* Dyna'i gân e' bob tro. Ac fe gafodd afael ar ryw ddywediad pan fyddai pethe'n mynd o chwith, *'Oh, sheet-a-da-breeck!'*

Dyna un o'r atyniadau mwyaf i fi o weithio ar Gefn Gwlad, y dywediadau yma. Meddyliwch am hen hogiau Cae'r Berllan, William a Richard, cyfoethog o ddoniau a chyfoethog o iaith. Yr hen William, dyn ceffylau gwedd, wrthi yn pedoli'r gaseg. Roedd hi'n haf poeth iawn a'r dyn camera wedi ffeintio yn y cae oherwydd y gwres.

'Gymerwch chi laeth enwyn?' medde William.

Finne bron â thagu o syched ond yn casáu'r stwff.

'Dydw i ddim yn leicio llaeth enwyn, William, fedra i ddim o'i yfed e'.'

'Dew, fe ddylat ti yfed llaeth enwyn. Mae o'n un da, Dafydd bech.'

'Iawn, fe yfa i ryw un glased.'

A dyna lle'r own i yng nghornel y stabl a'r goleuadau a'r camera wedi'u gosod fyny a William yn barod i ddechrau pedoli. Yna Maud yn dod mewn gyda'r llaeth enwyn.

'Dew, dipyn o laeth enwyn, Dafydd,' medde hi, a'i estyn e' i fi. Fe yfais e' ar fy nhalcen cyn gynted ag y gallwn i.

'Diolch yn fawr,' medde fi.

'Iawn,' medde hi. 'Glasiad arall i Dafydd Jones.'

A bu'n rhaid i fi yfed un arall. Allan â fi wedyn i geisio chwydu fel cath wedi bwyta wadin yr hen hidlwr llaeth, ers talwm. Fe fûm i'n sâl drwy'r prynhawn.

Roedd rhyw bethe fel'na'n dueddol o ddigwydd byth a hefyd wrth ffilmio Cefn Gwlad. Dyna ichi'r rhaglenni wnes i yn Eryri, yn dringo ac yn abseilio ac achub. Dringo Tryfan oedd y dasg gyntaf. Nefoedd fawr, anghofia i byth tra bo fi byw. Rown i'n ceisio dod o gwmpas clogwyn top Tryfan ond fe wnes i sbio lawr ar ffordd Bethesda. Roedd bws yn pasio, roedd e' fel tegan Dinky. Fe hedfanodd awyren heibio. Rown i'n medru gweld i mewn drwy'i ffenest hi.

Ac yna rhyw drefnu i ddangos sut fyddwn i'n cael fy achub petawn i mewn trafferthion. Enw'r rhaglen arbennig honno oedd Achub Dai ac unwaith eto dringo gydag Eric Jones. Rwy'n falch erbyn heddiw i fi ei wneud e'. Ond ar y pryd, fel Pierino, *'Sheet-a-da-breeck'* oedd hi.

Rwy'n cofio rhywun yn cyfeirio at y rhaglen honno ac yn dweud wrtha i, 'Roeddet ti siŵr o fod yn llenwi dy drowsus.' Sut fedrwn i lenwi fy nhrowsus? Roedd y rhaffau'n rhy dynn. Doedd dim lle yn fy nhrowsus.

Fyddwn i byth yn gwneud y pethe hyn eto. Ond dyna be' oedd yn dda am y rhaglenni hyn. Ambell fore, hwyrach, fe fyddai hi'n bwrw glaw a ninnau'n meddwl, 'Diawch, fydde hi ddim yn deg ffilmio hwn a hwn yn ffermio ar y fath dywydd.' Ac yna cael syniad. 'Diawch, fe awn i fyny i Eryri i weld Eric. Fe fydd e'n siŵr o fod allan ar ryw graig neu'i gilydd.'

A dyna sut oedd llawer o'r pethe hyn yn digwydd. Heb eu trefnu. A diolch am hynny waeth fe fyddwn i'n mynd adre gyda'r nos a meddwl beth own i wedi ei wneud a thyngu na wnawn i byth mohono fe eto. Petawn i'n gwybod ymlaen llaw beth fyddai'n fy wynebu i, fe fyddwn i wedi aros gartre.

Beth bynnag, erbyn hyn rwy wedi dringo Tryfan, wedi dringo Bwlch Moch ac wedi bod ar ganŵ ar Lyn Gwynant. Ie, canŵio wedyn. Nefoedd fawr! Wna i byth ganŵio eto. Roedd y profiad o eistedd mewn canŵ fel eistedd ar ŵy. Byth eto.

Fe fûm i'n ddigon ffôl hefyd i fynd gyda'r beili dŵr Caradog Jones allan ar *jet-ski* yn harbwr Aberteifi. Fi tu blaen a Charadog tu ôl, yn union fel petaen ni ar foto-beic. Fe basiodd cwch modur yn gyflym heibio i ni gan greu cerrynt. Lawr â ni. Dyna lle'r own i fel corcyn yn y dŵr a Charadog, yn wyn fel shîten, yn dweud wrtha i, 'Dau beth sydd eisiau i chi ei wneud, Dai, peidio gwylltio a llyncu cyn lleied o ddŵr ag sy'n bosib.'

Diawl, dyna lle'r own i ynghanol harbwr Aberteifi yn mynd lan a lawr fel corcyn potel ac yn poeri dŵr allan fel pwmp. Diolch byth fe ddaeth cwch diogelwch draw i'n codi ni allan. Na, dyw dŵr a fi ddim yn cytuno.

Fedra i ddim nofio, ac mae gen i gof da am fynd ag ugain o blant ysgol Cwmgwaun lawr i'r pwll nofio lleol. Y plant i gyd o dan wyth oed a dim ond fi oedd ag *arm bands*. A'r hen blant wrth eu bodd yn ceisio fy nysgu i nofio.

Mae rhywun yn cyfarfod pob math o gymeriadau rhyfedd ar Gefn Gwlad. Un o'r cymeriadau mwyaf wnes i ei gyfarfod oedd Johnny Moch o Sir Fôn. Doedd ganddo fe ddim set deledu a doedd e' ddim yn fy adnabod i. Finne'n esbonio fy mod i'n ceisio gwneud rhaglenni ar wahanol gymeriadau ac am wneud rhaglen arno fe.

'Os ydach chi am ddod yma, croeso i chi,' medde fe. 'Cymerwch lwnc o wisgi.' A dyma fe'n tywallt mesur i mewn i gwpan oedd ar y bwrdd. 'Pryd fyddwch chi'n dod?'

Y canlyniad fu i ni fynd ato fe am wythnos i ffilmio. A dyma fe'n dweud wrtha i ar ôl gorffen ffilmio, 'Dwi am roi presant i chi i gofio amdana i.'

Roedd e'n enwog am brynu stwff oddi ar yr hen faniau fyddai'n galw o bryd i'w gilydd. Yr hyn roddodd e' i fi oedd pâr o sgidiau Dr Martens i gofio'r rhaglen. Maen nhw gen i o hyd.

Rwy'n cofio wedyn gwneud rhaglen ar Esmor Evans y milfeddyg o'r Wyddgrug a Betws Gwerful Goch. Roedd e'n cadw gwartheg *Charolais*. Roedd e'n beth hynod ei fod e'n cadw gymaint o wartheg ac yntau'n filfeddyg. Fe wnes i ryfeddu at safon ei anifeiliaid. Y *Charolais* gorau a welais i erioed. Dyma fi'n dweud wrth Geraint am beidio â gorffen y rhaglen yno ond am fynd gydag e' wrth iddo gludo'r teirw i sioe fawr Perth yn yr Alban. Rown i o'r farn y gwnâi e' greu hanes yno.

Fe gytunodd Geraint ac fe aeth Esmor fyny ag ugain o deirw i gystadlu mewn pump o ddosbarthiadau ar gyfer y teirw. Fe enillodd ei deirw bum cerdyn coch, a nifer o gardiau glas a melyn hefyd. Ei deirw ef enillodd y tair pencampwriaeth oedd i'w cynnig ac fe werthwyd y prif bencampwr am record o bris a hwnnw'n cael ei ddal ar gamera Cefn Gwlad.

Rown i yno yn y bocs gydag Esmor pan oedd y tarw'n cael ei werthu ac roedd hi'n anodd penderfynu ai yn Sioe Perth own i neu yn y Nefoedd. Meddyliwch, pris y tarw yn record byd, 56,000 gini.

Rhaglen gofiadwy arall oedd honno am ddau frawd o Lanwrtyd, Jac a Dai Arthur. Dyna beth oedd dau gymeriad. Bob amser cinio fe fyddai Jac yn mynnu dod lawr gen i i'r Neuadd Arms yn Llanwrtyd i gael cinio. Bob amser cinio fe fyddai e'n yfed hanner o *mild* a *Port Wine* i ddilyn.

Rown i'n gorfod mynd ag ugain o sigaréts iddo fe bob bore. Roedd e'n smociwr mawr ond ddim ond pan gâi e' ffags gan rywun. Felly, ugain o *Gold Leaf* bob bore, a finne'n talu. Rown i newydd gael car newydd a dyna lle'r oedd Jac yn ei edmygu.

'Jiw, ma' car neis 'da chi, Jones,' medde fe. 'Ma' *ashtrays* mawr ynddo fe.' Eto i gyd fe fyddai e'n gwasgu ei stwmpyn ar y *dashboard* er ei fod e'n gar newydd ac yna taflu'r gweddillion i'r bocs cadw menig wrth waelod y drws.

Roedd gen i ffenest haul ar dop y car ac wrth ddychwelyd o ginio ar ddiwrnod twym a finne wedi agor y to, mae'n debyg fod Jac yn meddwl fod y ffenest ochr ar agor. Ffenestri trydan oedd gen i ac rown i'n clywed Jac yn carthu'i wddw ac fe agorais y ffenest rhag ofn. Gyda hynny dyma fe'n poeri allan.

'Lwcus fod y ffenest ar agor,' medde fi.

'O, Jones bach, rown i'n gwybod fod y ffenest ar agor,' medde Jac. 'Rown i'n teimlo'r drafft.'

O'r to roedd y drafft yn dod, wrth gwrs. Ond diolch am ffenest drydan.

Teitl y rhaglen awr o hyd oedd 'Jac a Blodwen yr Hwch'. Roedd Jac wedi bod yn adrodd am y cyfnod pan fyddai e'n prynu mochyn bach i'w besgi. Dyma'r syniad yn dod o brynu mochyn bach i Jac a'i ffilmio fe'n tyfu. A HTV wnaeth dalu am yr holl flawd i'w fwydo.

Weithiau fe fyddwn i'n cael galwad o'r Neuadd Arms. Y dafarnwraig fyddai'n deialu. Fedrai Jac ddim. Yna fe fyddai e'n cymryd y derbynnydd oddi wrthi.

'Jones, chi sy' 'na? Wel bachgen, ma' bwyd yr hwch wedi bennu. Helwch siec fach, rhyw £30, Jones. Fe fydd hynny'n talu am y cwbwl.'

Ymhen rhyw fis wedyn fe fyddai e'n ffonio am siec arall. Ond fe dyfodd yr hen Blodwen ac fe ddaeth hi'n amser i fynd â hi i ben ei thaith. Dyma Jac yn ffonio i ddweud fod Blodwen yn barod i'w lladd.

'Mae hi'n *beautiful pig,* Jones, *beautiful pig.* Ond fe fydd hi'n fwy *beautiful* byth yn hongian o dan y llofft.'

Fe fu'n rhaid i fi deithio lawr i Aberhonddu ar gyfer ei lladd. Sylw'r sawl oedd i'w lladd hi oedd iddo ladd bustych oedd yn llai o faint na Blodwen. Roedd hi'n 580 pwys yn farw. Fe gymerodd hi drwy'r dydd i'w llwytho hi a dod â hi adre i'w halltu.

Fe fu honno'n rhaglen gofiadwy iawn a phlant yr holl wlad wedi dod yn hoff o'r hwch. Ond druan o'r hen Blodwen, ar ffreipan Jac y gorffennodd hi ei gyrfa.

Fe ymddeolodd Jac ac fe brynodd dŷ rheolwr banc y Nat West yn Llanwrtyd ac fe fu byw fel brenin hyd ddiwedd ei oes.

Dau arall, brawd a chwaer a fu'n destun rhaglen gofiadwy o Gefn Gwlad i ni oedd Catrin a Huw o fferm ag enw da iawn arni, Cwm Ffernol ym Mhennal. Roedd Catrin yn hen ferch a Huw yn hen lanc ac roedd enwau ganddyn nhw ar bob dafad, Gwenno, Beti Wyn, Siân Elin ac yn y blaen. Roedd enw hefyd ar y gwartheg, Noella, Beauty Noella ac ati. Doedd ganddyn nhw ddim teledu. Felly, fel yn achos Johnny Moch, doedden nhw ddim yn fy adnabod i. Beth bynnag, fe gytunon nhw i wneud y rhaglen.

Roedd Catrin yn corddi yn yr hen ddull ac yn godro â dwylo. Roedd y criw yn cyfarfod yn y Riverside ym Mhennal a'r dyn sain yn hwyr yn cyrraedd ac yn ymddiheuro. 'Iawn,' medde fi, 'ond fe fydd yn rhaid i ni frysio waeth mae Miss Pugh yn awyddus i gael gêm o sgwash am bedwar.'

Wrth gwrs, pan welodd e'r lle fe welodd mai jôc oedd y cyfan. Yr unig sgwash roedd Catrin druan wedi'i brofi oedd hwnnw sy'n dod mewn potel.

Roedd ambell broblem yn codi. Doedd y gwartheg, er enghraifft, ddim yn gyfarwydd â golau yn y beudy o gwbwl, felly fe fu'n rhaid gosod y goleuadau y noson cynt i weld sut fydden nhw'n ymateb. Os na fyddai'r gwartheg yn hoffi'r golau doedd dim ffilmio i fod. Roedd e'n fwy o dechneg na saethu ffilm James Bond.

Rown i'n smocio pib yr adeg honno ac un o'r criw yn smocio sigaréts. Ond roedd yn rhaid gadael y bib a'r sigarèts ar y bwrdd. Doedd dim smocio ar y fferm i fod. Rown i'n dod i ben â'r sefyllfa ond roedd y dyn sain, oedd yn smociwr trwm, yn mynd lawr i ben y lôn bob amser cinio i gael smôc fach ar y slei.

Fel Miss Pugh roeddwn i'n ei chyfarch hi ar hyd yr wythnos. Ond roedd y shot olaf yn golygu mynd gyda hi yn y car. Rown i wedi cyrraedd ar ddechrau'r rhaglen yn hen gar Huw a hwnnw wedi torri lawr. Ond roedden nhw wedi cael *Austin Princess* newydd ac, wrth gwrs, roedd y cloi yn golygu cael mynd gyda Miss Pugh yn y car newydd. Dyna lle roedd hi yn mynd drwy'r gêrs yn ei het goch fawr a finne'n cadw golwg wrth iddi facio'r car.

'Reit, Miss Pugh,' medde fi, 'peidiwch â mynd ddim pellach yn ôl neu fe hitiwch y garej.'

Ac er mawr hwyl i ni i gyd dyma hi'n dweud, ar ôl wythnos o ffilmio, 'O, fe allwch chi fy ngalw i'n Catherine rhagor'

Oeddwn, rown i wedi cael mynediad i fyd Miss Pugh.

Roedd y rhaglen ar Don Garreg Ddu hefyd yn garreg filltir yn ogystal â honno ar ei feibion, Dico a Bando. Dei a Richard yw eu henwau iawn ac mae galw Richard yn Dico yn ddigon naturiol, mae'n debyg. Ond am Dei, mae e'n cael ei alw'n Bando am fod ganddo gymaint o sŵn, yn parablu'n ddi-stop. Bachgen poblogaidd iawn yn yr ardal.

Wrth ffilmio yn Garreg Ddu fe gododd problem. Roedd angen dal y stalwyn. Dim problem, yn ôl Don. Roedd hwnnw'n stalwyn mawr anferth, glas a heb gael ei glymu erioed. Ond doedd Don ddim yn gweld unrhyw drafferth o gwbwl.

'Wel,' medde Geraint, na wyddai'r gwahaniaeth rhwng stalwyn a chwrci, 'peidiwch â chyffwrdd ag e' nes down i â'r camerâu.'

A dyna ddigwyddodd. Fyny â ni â'r camera i ben mynydd Garreg Ddu a gyrru'r stalwyn lawr i'r ffald. Yn anffodus roedd adeiladau Garreg Ddu braidd yn hen, wedi'u hadeiladu ymhell cyn dyddiau Don. I mewn â'r stalwyn i'r sied a dyma fe fyny ar ei draed ôl. Y peth nesaf welon ni oedd ei ben e'n mynd allan drwy'r to. Roedd e'n cicio a rhochian, fe allech dyngu fod blaidd yn y sied. Fe lwyddon ni i roi penffust amdano ac am ddwy noson wedyn fe fûm i fyny yn ceisio tawelu'r stalwyn er mwyn cael rhyw siâp ar ei ffilmio. A wir, fe ddechreuodd dawelu. Roedd e'n dod o gwmpas y ffald â chebystr am ei ben.

Yna fe fentrwyd rhoi'r trasus amdano. Dyma gicio. Fe ddaliodd fwced plastig melyn â'i droed ôl. Bron na fedra i ddweud nad yw e' wedi disgyn o hyd. O'r diwedd dyma deimlo y byddai hi'n ddiogel i'w ffilmio y bore wedyn. Y bwriad oedd i'r pedwar ohonon ni, Don a'r meibion a finne, i fynd â'r stalwyn lawr i'r cae dan tŷ a'i rwymo fe wrth stanc. Lawr â ni heibio i'r tŷ a'r stalwyn yn nerfus. Dim ond i aderyn bach godi o'r berth, roedd e'n cocio'i glustiau. Yna yn sydyn fe ognodd cwningen, a dyma'r march yn codi bant. Fe redodd Bando o'i flaen e' i geisio'i droi e' i'r cae. Ond pan deimlodd y stalwyn y borfa las o dan ei draed, dyma fe bant. Rown i wedi cydio mewn pwt o raff ac yn dal, ond rhwng y tynn yn y march a'r tro yn y cae fe es i lawr hyd fy mhenliniau yn y ffos. Beth bynnag, ymhen hir a hwyr fe lwyddwyd i ddal y march a'i glymu wrth y stanc.

Fe ddylwn i gyfeirio hefyd at noson pen-blwydd Bando. Roedd ei ffrindiau, yn ddiarwybod iddo fe, wedi trefnu i ferch *kissogram* ddod i'r parti yn y Three Crowns yn Llanrhaeadr-ym-Mochnant. Roedd rhyw ddadlau wedi bod rhwng teulu Garreg Ddu a rhyw Saeson oedd wedi symud i le cyfagos, y rheiny'n cwyno am gyfarth y cŵn ac wedi mynd â'u cwyn at yr heddlu. Pan gyrhaeddodd y ferch mewn dillad plismones a gofyn am David Morris fe gredodd Bando mai dod i'w holi am y ci roedd hi ac fe fu yna drafod mawr.

Roedd ei ffrindiau i gyd yn gwybod am y jôc ac yn chwerthin yn y cefndir. Yn sydyn dyma'r ferch yn tynnu ei dillad fel mai dim ond ei dillad isa a syspendyrs oedd amdani a Bando'n gwylltio ac yn ei chynghori i bwyllo rhag ofn iddi golli ei job. Roedd e'n dal i feddwl mai plismones go iawn oedd hi.

Y diwrnod wedyn fe fu Bando'n dweud wrth bawb sut roedd ei ffrindiau wedi trefnu iddo gael *radiogram* yn y parti. Anfarwol.

Fe wnaethon ni raglen unwaith ar Gerallt Lloyd Owen. Roedd yn rhaid ei ffilmio wrth un o'i ddiddordebau mwyaf, saethu colomennod clai, a hynny mewn cae yn y Sarnau. Roedd Gerallt wedi cael trap newydd oedd dipyn yn gryf. Ar ben hynny roedd y colomennod clai braidd yn hen ac wedi bod yng nghist y car am amser hir a hynny wedi eu breuo nhw.

Gerallt dynnodd gyntaf fel y gallwn i saethu, ond roedd y colomennod clai yn chwalu yn yr awyr o ran eu hunain. A dyma fi'n gofyn iddo fe beth oedd yr enw ar y fath ddigwyddiad?

'O,' medde fe, gan groesi yn union o 'mlaen i, 'maen nhw'n galw hynna yn *"no bird"*.'

'Diawl,' meddwn i, 'os nad ei di o'r ffordd, fe fydd hi'n *"no bard"* hefyd.'

Strôc fawr ar ran Cefn Gwlad fu prynu eidion du Cymreig yn Hafod Ifan, Ysbyty Ifan oddi wrth John Hughes a'i besgi ar gyfer Smithfield. Fe enillodd Gwpan y Frenhines, breuddwyd pawb sy'n arddangos yn Smithfield. Cael y fraint wedyn o ysgwyd llaw â'r hen Fam Frenhines a siarad â hi. Hi'n gofyn o ble rown i'n dod, finne'n dweud wrthi 'mod i'n dod o Lanilar. Doedd ganddi ddim syniad, wrth gwrs, lle roedd Llanilar nes i fi ddweud ei fod e' heb fod yn bell o Aberystwyth.

'*Oh, I've been there many times,*' medde hi. '*The sea looks nice there.*'

'*Yes,*' medde fi, '*but the land looks better than the sea. When you're down next remember to call.*'

Gwenu wnaeth hi a dweud y byddai hi'n gwneud. Wnaeth hi byth alw.

Ond fe ddigwyddodd peth llawer rhyfeddach i fi pan own i'n sylwebu yn y Sioe Frenhinol un flwyddyn, gwaith fyddwn i'n ei rannu â Charles Arch. Ni oedd y ddau gyntaf i rannu'r sylwebaeth yn Gymraeg gan wneud yn siŵr y byddai mwy o'r iaith i'w chlywed yn y prif gylch. Roedd y diweddar Llew Phillips wedi gosod y seiliau ar gyfer y drefn honno.

Ar y flwyddyn arbennig hon roedd y Dywysoges Anne, oedd yn briod â Mark Phillips ar y pryd, i ddod i Lanelwedd fel y prif westai. Roedd pobol wedi'u penodi i'w chroesawu hi. A phan fydd ymweliad Brenhinol fe gewch chi weld byddigions yr hetiau duon yn closio at y Frenhiniaeth adeg y *Royal Luncheon* gyda'r canlyniad mai dim ond fi a Charles fyddai'n sylwebu dros yr awr ginio. Roedd cawl a chig eidion yn ddigon da i Charles a fi.

Roedd y cyhoeddwr oedd i fod i groesawu'r Dywysoges ar y corn siarad wedi gadael am ginio gan roi'r dyletswydd ar ysgwyddau Charles. Ond tra oedd Charles yn y lle chwech fe gyrhaeddodd y Dywysoges yn gynnar, a dyma'r neges yn dod i fi gyflwyno'r fenyw. Roedd hi erbyn hyn wedi cyrraedd y *Royal Box*. Fe wnes i falu awyr am sbel ac yna dyma fi'n llusgo'r cyflwyniad gymaint ag a fedrwn i. Oeddwn, roeddwn i wedi anghofio'n llwyr enw'r fenyw. Yn fy myw fedrwn i ddim dwyn ei henw hi i gof. Rown i'n gweddïo y gwnâi Charles gyrraedd a chymryd drosodd. Ond na.

Ymlaen â fi ac o'r diwedd, ar ôl rhedeg allan o bopeth fedrwn i ei ddweud dyma fi'n gofyn i bawb estyn croeso cynnes i Mrs Phillips. Fe fu'r stori honno yn y papurau y diwrnod wedyn. Fe roddwyd sylw mawr i'r ffaith i gyflwynydd teledu groesawu'r Dywysoges Anne fel Mrs Phillips. Wnaeth hi ddim cwyno. Ond mae gen i deimlad fod yr hen foi oedd mewn het bowler gyda hi yn y cylch wedi llenwi ei drowser.

Un a fu'n cydweithio gyda ni ar Gefn Gwlad fel cyfarwyddwr fwy nag unwaith oedd y diweddar annwyl Dewi Bebb. Ef oedd un o'r dynion anwylaf mewn bod. Fe fyddai e' wrth ei fodd yn gwneud Cefn Gwlad, yn chwerthin yn ddi-stop ac yn methu credu fod y fath hwyl i'w gael gyda'r cymeriadau yma.

Un rhaglen wnes i gyda Dewi oedd hanes teulu ar fferm o'r enw Twll y Gwyddyl rhwng Rhydaman a Chlydach, y teulu Jacobs. Roedd yr hen wraig yn 93 oed a Dewi, tra own i'n sgwrsio â hon ac â'r mab, Islwyn, yn gwneud dim ond chwerthin. Fe fyddai e'n dweud yn aml fod cael bod yng nghwmni cymeriadau fel hyn yn rhoi'r un math o wefr iddo â chael chwarae rygbi dros Gymru ar Barc yr Arfau.

Ar ôl 17 mlynedd ar Siôn a Siân rwy bellach ar fy 16ed blwyddyn ar Gefn Gwlad. Erbyn hyn rwy wedi cyrraedd y statws o gael bod yn gyd-gynhyrchydd ar y gyfres gyda Geraint Rees. Mae Marian Hughes y cynorthwy-ydd cynhyrchu gyda ni ers deng mlynedd. Felly tîm o dri yw Cefn Gwlad. Ac mae hi'n bwysig, rwy'n meddwl, fod yna dîm yn ymwneud â phob rhaglen. Ry'n ni'n trafod â'n gilydd, yn gwybod be' mae pawb ei eisiau heb orfod gofyn, ac yn medru trefnu ar wahân er lles pawb.

Y ffordd rwy'n canfod rhai o destunau Cefn Gwlad yw wrth ddilyn sioeau a threialon cŵn defaid a chwrdd â phobol. Ac mae hyn yn gyd-ddigwyddiad ffodus i fi: am flynyddoedd fe fûm i'n eisteddfodwr, wedyn yn canu mewn cyngherddau, wedyn yn dilyn sioeau a threialon cŵn defaid, a thrwy hyn i gyd yn troi mewn cymdeithas wledig.

Mae Geraint â'i wreiddiau yn Rhuthun, yn ardal wledig Dyffryn Clwyd ac mae e'n gwybod anghenion a hoffter pobol y wlad. Mae Marian yn ferch fferm o Saron, Dinbych sy'n dal yn ddibriod ac yn teithio adre o Gaerdydd yn aml i helpu ar y fferm. Hithau â'i gwreiddiau yn ddwfn yn y byd amaethyddol. Felly mae'r tri ohonon ni yn cyfrannu yr un faint i'r gyfres. Petai un ddolen o'r gadwyn yn torri fe fyddwn i'n gweld gwahaniaeth mawr. Mae pawb, wrth ein cyfarch ni ar wahân, yn gofyn hynt y ddau arall.

'Shwmai, Dai, shwt ma' Geraint a Marian?' 'Hylô Geraint, sut mae Dai a Marian?' 'Sut hwyl, Marian, sut

137

mae Geraint a Dai?' Yn wir, fe fyddwn ni'n derbyn cardiau Nadolig oddi wrth bobol a'n henwau ni'n tri ar yr amlen. Mae'r agosatrwydd hwnnw i'w deimlo'n fawr iawn nid yn unig rhyngon ni a'n gilydd ond hefyd rhyngon ni a'r gwylwyr.

Dechrau Canmol

Rwy eisoes wedi cyfeirio at arwyr plentyndod ac arwyr bro ond mae gen i hefyd arwyr ar lwyfan mwy eang. Mae 'na dri ohonyn nhw sy'n sefyll yn uwch na phawb arall.

Y tri yw Richard Rees y canwr, Alan Jones y dyn cŵn defaid ac Elystan Morgan, neu'r Arglwydd Elystan erbyn hyn, er mai fel Elystan y bydda i'n ei adnabod am byth.

Richard Rees fu'r arwr mawr cyntaf fu gen i erioed. Rwy'n cofio'i weld e' ar raglen deledu pan own i'n grwt ifanc. Rwy hyd yn oed yn cofio'r math o welingtons oedd e'n eu gwisgo pan oedd e'n brwsio y tu fas i'r beudy ar y rhaglen, rhai *Argylle*. Rwy'n eu cofio nhw'n glir.

Hwn oedd y tro cyntaf i fi ei glywed yn canu 'Aros Mae'r Mynyddau Mawr'. Ac i fi does neb yng Nghymru gyfan, neu yn y byd o ran hynny, wedi canu'r gân yn debyg iddo. Er mor ardderchog yw Bryn Terfel, ac er mor wych oedd Syr Geraint Evans, dau ganwr byd-enwog gyda dawn arbennig, fe heria i unrhyw un i ganu 'Y Marchog', 'Y Dymestl' ac 'Aros Mae'r Mynyddau Mawr' yn debyg i Richard Rees, Pennal. Mae e' wedi gosod ei stamp a'i gymeriad ar y tair cân yna. Rwy'n siŵr fod Meirion Williams wedi cyfansoddi 'Aros Mae' yn arbennig ar gyfer llais Dic Rees. Roedd y ddwy arall wedi'u cyfansoddi'n gynharach, wrth gwrs, ond gaech chi neb i'w canu nhw'n well.

Roedd Dic yn ganwr ac yn ffermwr. A dyna beth own i eisiau ei wneud. Ffermio'n llwyddiannus a mynd i'r eisteddfodau ac ennill Rhuban Glas y Brifwyl. Fe fûm i'n ddigon ffodus i wneud hynny, ac wrth gwrs wedyn fe ffoniodd Richard fi, a'i eiriau e' oedd, 'Mae'n rhaid i ni gwrdd, Deio bach.'

Doeddwn i ddim wedi cyfarfod rhyw lawer ag e' cyn hynny, dim ond ei weld e'n canu. Ond ar ôl ennill y Rhuban Glas yn 1970, sydd bellach bron 30 mlynedd yn ôl, does yna ddim wythnos wedi mynd heibio heb i ni naill ai ffonio'n gilydd neu weld ein gilydd.

Ry'n ni wedi teithio cyngherddau gyda'n gilydd i bobman, a phrofiad mawr ac un o drysorau mawr fy mywyd yw'r record wnaeth Dic a fi gyda'n gilydd fel deuawd.

Erbyn hyn mae'r ddau ohonon ni wedi teithio Cymru, ac yn wir teithio'r byd gyda'n gilydd. A'r peth mawr o'r dechrau, wrth gwrs, oedd fod ganddon ni'n dau yr un diddordebau. Tra'n teithio gyda'n gilydd roedd modd i fi drafod caneuon gyda Dic ar yr un anadl â thrafod gwartheg.

Roedd y ddau faes yn medru dod at ei gilydd mewn ffyrdd digon rhyfedd weithiau. Roedd Dic a finne'n canu mewn cyngerdd yn Rhes-y-cae. Fe deithiais i fyny yn *Rover* Dic. Gartre ym Mhennal roedd Menna, gwraig Dic, yn methu'n lân â dod o hyd i'r cŵn. Dyma hi'n ffonio cartre ysgrifennydd y cyngerdd a gofyn am gael siarad â'i gŵr. Roedd Dic erbyn hyn wedi newid i'w gôt gynffon fain a'r trimins i gyd. Fe aeth allan i'r car ac agor y gist a dyna lle'r oedd y ddau gi mor hapus â'r dydd. Roedd Dic wedi bod allan ar ôl defaid yn y bore ac wedi anghofio fod y cŵn yn dal yn y gist. A dyna lle'r oedd e' yn ei ddillad llwyfan yn ceisio croesi'r hewl gyda chortyn bêls o gwmpas gyddfau'r ddau gi fel y medrai eu rhwymo nhw tra byddai'n canu yn y cyngerdd.

Adeg Gŵyl Ddewi fe welais i Dic a finne yn teithio am wythnos gyfan gyda'n gilydd yn canu oratorios ar gyfer gwahanol gymdeithasau Cymraeg. Rwy'n cofio'n dda y ddau ohonon ni'n canu yn Sheffield ar nos Wener, Birmingham ar nos Sadwrn a theithio lawr ben bore i Gaerdydd ar fore dydd Sul i wneud rhaglen deledu Canu'r Bobol, y ddau ohonon ni'n canu dwy unawd ac yna dwy ddeuawd gyda'n gilydd.

Ie, Richard Rees neu Dic Rees, Pennal. Arwr mawr. A dyna i chi beth hyfryd yw cael eich arwr hefyd yn gyfaill agos i chi.

Yr ail arwr — a chyfaill mynwesol — yw Alan Jones, Pontllyfni. Fe ges i gi gydag Alan. Rown i wedi prynu un ar gyfer treialon cŵn defaid i ddechrau a nawr rown i eisiau rhyw gi bach addas arall ac fe ffoniais Alan. Y bwriad oedd y byddwn i'n cyrraedd ei gartre, Lleuar Bach, y bore wedyn. Cwestiwn Alan oedd beth own i'n ei olygu fel bore? Deg neu un ar ddeg?

'Jiw,' medde fi, 'amser cinio yw hynny. Fe fydda i fyny erbyn hanner awr wedi naw.'

Dyna ddigwyddodd, ond erbyn i fi gyrraedd roedd Alan wedi perswadio Medwen, ei wraig, i baratoi cinio. Ac roedd hwnnw'n barod erbyn i fi gyrraedd. Cinio cynnar iawn. Rwy'n cofio hynny'n dda. Fe fedra i hefyd gofio enw'r ci. Bill oedd e'.

Fe es i nôl i'r ardal yn fuan wedyn i ganu mewn noson lawen. Ac wrth gwrs, gan ei fod e'n arwr gen i doeddwn i ddim yn mynd i godi tâl iddo fe am ganu. Do, fe genais am ddim, ond dyma Alan yn fy ngalw i'r sied wedi'r cyngerdd. A'r hyn wnaeth e' wedyn oedd fy ngwahodd i ddewis unrhyw un o blith nythaid o gŵn bach. Roedd y rhain o frîd arbennig iawn a gast o'r enw Meg wnes i ddewis. Fe fûm i a Meg yn cystadlu gyda'n gilydd am rai blynyddoedd.

Rwy'n dal i redeg cŵn ac rwy'n dal i fynd i Leuar Bach. Enw cartref Dic Rees yw Penmaen Bach. A Lleuar Bach yw enw cartre Alan Jones. Ac mae Lleuar Bach yn dal yn ail-gartref i fi. Os bydda i'n ffilmio yn y Gogledd ac yn digwydd bod yn y cyffiniau, yn Lleuar Bach y bydda i'n aros ac mae hi'n mynd yn ddau neu dri o'r gloch y bore yn aml cyn i ni glwydo. Mae Alan yn gwacáu'r droriau i chwilio am luniau rhai o'r hen gŵn oedd e'n arfer eu rhedeg drwy Brydain gyfan gan gynnwys Hyde Park.

Fe fu Alan yn sâl iawn rai blynyddoedd yn ôl gan ddioddef o'r cancr. Fe gafodd driniaeth ddifrifol iawn. Ond mae tua phymtheng mlynedd ers hynny ac mae e' wedi dod o farw yn fyw. Dyma un dyn y medra i ddweud mai ei ddiddordeb mawr mewn cŵn a'i cadwodd e'n fyw.

Mae sôn am berthynas yn mynd i'w weld pan oedd e'n wael, un o'r brodyr Pritchard, a hwnnw'n digwydd dweud wrth Alan ei fod e' ar y ffordd i Frynsiencyn ym Môn i dreialon cŵn defaid. Roedd Alan ar ei gefn yn ei wely yn hen Ysbyty Môn ac Arfon a dyna lle'r oedd Pritchard wrthi'n sôn am y ci oedd e'n mynd i'w redeg y diwrnod hwnnw ac yn disgrifio mor dda oedd y ci'n perfformio. Yn sydyn dyma Alan yn troi at ei wraig.

'Med,' medde fe, 'dos adra i nôl Vic y ci. Myn diawl i, fe gura i Pritchard a'i gi o fama.'

Un felly yw Alan. Tynnwr coes, dyn doniol. Dywediadau bachog. Anferth o foi, ddim ymhell o chwe throedfedd ond dyn ffeind. Gŵr bonheddig.

Rwy'n cofio bod ym mhriodas Wyn, unig fab Alan a Medwen. Mae e' bellach yn fargyfreithiwr. Nid yn unig roedd Olwen a finne yn y briodas ond rown i'n canu yno hefyd. Yn y derbyniad wedyn dyma Alan yn cerdded i mewn a 'ngweld i wrth y bar. Ef ei hun yn llwyr-ymwrthodwr.

'Gadewch i mi brynu diod i chi, Dai.'

A dyma brynu shandi i fi. Own i ddim am gael dim byd cryf gan fy mod i'n gorfod gyrru adre o Sir Fôn. Dyma Olwen yn cael glased o *Coke*. Yna dyma Alan yn taflu ugain punt ar y cownter ac yn gofyn, 'Oes digon fanna, Dai?'

'Digon?' medde fi, 'does dim angen unrhyw beth tebyg i hynna.' Roedd hyn yn dangos nad oedd ganddo fe syniad beth oedd pris cwrw.

Mae Alan yn Gymro cyflawn ac mae'n werth ei glywed wrthi pan fydd e'n traddodi yn Saesneg. Dydi e' ddim yn rhyw siŵr o'i bethe drwy gyfrwng yr iaith fain ond yn Gymraeg mae e'n medru bod yn wreiddiol a doniol iawn. Rhywun unwaith yn dod i dreialon cŵn defaid ac yn gofyn i Alan ble fedrai e' barcio ac Alan yn ateb, 'Gwranda, yn ôl y ffordd mae dy gŵn di'n mynd waeth i ti barcio gyda'r *disabled*.'

Mae 'na stori dda arall am Alan wedyn ar ei ffordd fyny i gyfarfod o Gymdeithas y Cŵn Defaid yng Nghaer-liwelydd yng Ngogledd Lloeger. Yn y car roedd cyfaill iddo, Gwynfor Pritchard, oedd wrthi'n slwmbran yn braf. Ond fe drawodd Alan y cwrb yn galed ac fe neidiodd ei gyfaill mewn braw.

'Cymer bwyll,' medde fe, 'neu fe laddi di ni i gyd.'

'Dos yn ôl i gysgu,' medde Alan, 'i ti gael marw yn dy gwsg.'

I ddod at y trydydd arwr, Elystan Morgan. Pam Elystan? Dydw i ddim yn fachan gwleidyddol ond rwy'n cofio pan oedd e'n Aelod Seneddol a'i glywed e'n siarad yn gyhoeddus. Roedd hi'n bleser ei glywed e' ar y radio a'r teledu yn dadlau ei safbwynt. Roedd ganddo fe ryw feistrolaeth ar eiriau; mae hynny bob amser wedi apelio ataf fi.

Rown i wedi clywed gymaint o sôn am Lloyd George ac rown i'n meddwl fod hwn yn Lloyd George arall. Doedd gan yr edmygedd hyn ddim byd i'w wneud â phleidiau. Edrych arno fel dyn own i, ac yn bwysicach fyth fel Cardi, wrth gwrs.

Os byddai'n ymddangos yn rhywle, yn ŵr gwadd efallai, fel y bu mewn aml i gyfarfod neu gynhadledd amaethyddol, roedd ganddo fe ryw ddawn a rhyw dinc ddramatig waeth ym mha iaith, y Gymraeg neu'r Saesneg. Ac wrth droi o'r naill iaith i'r llall mor ddidrafferth rown i'n teimlo ei fod e'n cryfhau ei bwynt bob tro gan yrru ei neges adre.

Pan gollodd e'i sedd yn Sir Aberteifi i Geraint Howells rown i'n methu deall sut wnaeth y sir adael bachgen fel hwn i fynd, waeth o ba blaid bynnag oedd e'. Hyd yn oed petai e'n cynrychioli Plaid y Cathod, ac mae'n gas gen i'r rheiny, fedrwn i ddim llai na phleidleisio iddo fe.

Fe ddes i'w adnabod e'n dda, ef ac Alwen ei wraig ac Owain ac Eleri, y plant, ac fe fûm i allan yn canfasio drosto fe pan oedd e'n ceisio adennill y sedd. Fe fedra i ddweud hyn â'm llaw ar fy nghalon, dyna'r gorchwyl wnes i ei fwynhau fwyaf erioed. Gwynn Hughes Jones oedd yn drefnydd drama'r sir — roedd e'n gefnder i Elystan — a finne yn mynd o gwmpas i ganfasio.

Ar fore'r etholiad hwnnw fe es i ag Elystan o gwmpas

pob bwth yn Sir Aberteifi, pob safle pleidleisio yn yr etholaeth. Ac rwy'n cofio teithio fyny yng nghyffiniau Ystumtuen, a mab Elystan yn gwmni i fi a Gwynn. Lle moel, unig yw Ystumtuen fel y gŵyr unrhyw un sydd wedi bod yno, ardal fynyddig yng nghyffiniau Ponterwyd yng ngogledd Sir Aberteifi. Ac Owain a fi a Gwynn yn teithio'r ardal a finne ar y corn siarad. Doedd fawr neb yno i glywed, dim ond y defaid. Rown i am argyhoeddi'r rheiny hefyd mai Elystan oedd y dyn.

Wrth deithio dyma weld rhyw ddyn yn gweithio yng ngardd ei fwthyn bach wrth ymyl y ffordd. Fe ofynnais i Gwynn aros er mwyn cael gair â'r dyn i weld a oedd e' o'n plaid. Rown i'n amau'n fawr gan fod clobyn o *Jaguar* mawr y tu allan i'w dŷ. Allan â fi a chanfod, heb fawr o syndod, mai Sais oedd e'.

Fe ofynnais iddo yn yr iaith fain a fyddai e'n fodlon cefnogi Elystan drwy bleidleisio iddo ddydd Iau. Doedd ganddo fe ddim syniad pwy oedd Elystan. Bron na wyddai fod yna etholiad. Fe esboniais wrtho mai cynrychioli Llafur oedd Elystan Morgan. Erbyn hyn rown i'n cael cryn hwyl wrth wrando ar ei acen.

'O, the Labour Party. No, I might as well tell you right now that I won't be supporting Labour. You see, it's this bloody nationalising they're going to do. They'll nationalise anything.'

'Wel diawl,' medde fi, 'you've got nothing to nationalise up here apart from rabbits and rushes.'

Roedd y ffordd wnaeth e' edrych arna i yn ddigon i ddweud wrtha i, os nad oedd ei bleidlais e' gyda ni cynt, doedd hi ddim gyda ni nawr.

Roedd 'na lawer o hwyl yr adeg honno. Waeth pa blaid, roedd pawb yn ffrindiau. Rown i'n cael rhyw gic wrth grwydro'r pentrefi cefn gwlad. Mynd drosodd unwaith o Ffair-rhos i Ysbyty Ystwyth. A finne'n gweiddi drwy'r corn.

'Annwyl gyfeillion . . . '

A'r llais yn eco drwy'r dyffryn. Ambell un yn rhoi'r gorau i arddio i wrando. Ambell un arall yn dod allan o dŷ bach yr ardd ac yn dal ei drowser fyny am ei ganol. Credu, siŵr o fod, i gymydog gael set radio newydd gyda *volume* neilltuol o uchel.

Mynd i Aberaeron wedyn, a'r Rhyddfrydwyr yn mynd lawr mewn car o'n blaen ni. Nhw'n gweiddi un neges, ninnau yn eu dilyn ac yn gweiddi neges wahanol. Drwy strydoedd Aberaeron fe aeth hi'n rhyw fath o chwarae mig gydag un car yn ceisio mynd ar y blaen i'r llall.

Drwy un stryd roedd y Rhyddfrydwyr wedi cael y blaen ac wrth iddyn nhw basio un tŷ, gan weiddi sloganau Rhyddfrydol, wnaethon nhw ddim sylwi fod posteri Elystan yn blastar dros y ffenestri. Wrth iddyn nhw weiddi a chyhoeddi eu neges fe ddaeth rhyw fenyw allan o'r tŷ a'u bygwth â mop llawr, a dyma'r cyhoeddwr yn gwneud rhyw sylw wrth ei gydymaith, 'Wel, dyw'r hen ddiawl 'na ddim gyda ni, beth bynnag.' Yn anffodus doedd e' ddim wedi diffodd y meic ac fe glywodd pawb yn y stryd y neges.

Roedd pawb yn canfasio o ddifrif, wrth gwrs, ac yn cefnogi eu dyn eu hunain. Ond amser cinio fe fyddai pawb yn anghofio'u gwahaniaethau a chanfaswyr y gwahanol bleidiau yn cyfarfod mewn siop tships a phawb yn ffrindiau mawr.

Colli wnaeth Elystan a chael ei ddyrchafu'n Arglwydd. Ond rwy'n dal i gredu mai dyna'r golled fwyaf gafodd Sir Aberteifi erioed er fy mod i ers tro bellach yn ganfasiwr cryf dros Cynog Dafis ac yn ymfalchïo yn y ffaith mai ef yw ein Haelod Seneddol.

Dydw i ddim yn ddyn sy'n cefnogi plaid. Y dyn sy'n bwysig i fi. Roedd Elystan, mi greda i, gyfuwch â gwleidyddion fel Lloyd George a James Griffiths, a phetai Elystan wedi dal neu wedi llwyddo i adennill Sir Aberteifi fe fyddai e', yn sicr, wedi cael swydd uchel gan y Blaid Lafur.

Mae hi'n holl bwysig fod etholaethau Cymru yn cael Aelodau Seneddol sydd mewn cysylltiad â'r bobol maen nhw'n eu cynrychioli, yn Aelodau sy'n adnabod eu pobol, yn Aelodau sy'n adnabod eu terfynau.

Rwy'n dal i gofio areithiau Elystan pan fyddai e'n defnyddio geiriau o'r gân 'Brad Dunravon' lle mae'r môr-leidr yn cynnau'r 'hudol fflam' i ddenu cwch i'r lan. Fel môr-ladron oedd e'n gweld y Torïaid. Mewn rhyw ddeunaw mlynedd wedyn fe brofwyd ei fod e'n iawn.

Oes, mae gan bawb ei arwyr. Mae gen i ddwsinau ond heb amheuaeth, y prif dri yw Dic Rees, Alan Jones ac Elystan Morgan. Tri arwr, tri ffrind.

Wedi'r Holl Dreialon

Rhwng ffermio a galwadau byd y cyfryngau fe allech chi feddwl nad oes gen i amser hamdden. Does gen i ddim gymaint ag a ddymunwn i ond pan gâi amser yn rhydd, gyda'r cŵn defaid y bydda i.

Mae'r diddordeb wedi bod gen i er pan own i'n blentyn. Rwy'n cofio'n dda cael fy nghi cyntaf gyda John Henry Jones, Llanrhystud. Roedd John Henry yn un o ddynion enwog byd y cŵn defaid. Fe fu'n gweithio fel bugail gan y cymeriad mawr hwnnw, Jim Ystrad Teilo ac ym Mhengarreg. John Henry ddaeth â'r ci cyntaf i fi, ci wedi'i gofrestru. Prince oedd ei enw fe ac fe fyddwn i'n mynd yn aml at Dai Morris Jones i'w helpu fe i hel defaid fyny ar y Mynydd Bach a Banc Camddwr.

Roedd diwrnod cneifio Dai Morris ym Mhantamlwg yn ddiwrnod mawr. Roedd y fferm yn agos iawn i'r mynydd, felly cneifio mynydd go iawn fyddai hwn. Roedd tri chi gan Dai — Panda, Carlo a Cymro — ac fe fedrai wneud be' fynnai â nhw. Dyna lle'r own i'n blentyn yn rhyfeddu at eu campau ac yn ceisio efelychu Dai Morris.

Roedd gan Dai whisl dún, a phump gwahanol sŵn iddi. Roedd whisls fel hyn yn bethe prin iawn ac fe fyddai gofyn i chi eu harchebu nhw drwy siop Ted Sewell y sadler yn Nhregaron. Dyna i chi siop oedd honno. Roedd Ted yn gwerthu coleri a chadwyni cŵn a whisls a phob math o drugareddau eraill. Hen siop fach dywyll yn Stryd y Capel oedd hi gydag oglau lledr yn llenwi'r lle.

Ond nid o unrhyw siop y ces i fy whisl gyntaf. Un gollen oedd honno wedi'i llunio gan hen gymeriad o Bontrhydfendigaid, Dai Williams, neu Dai Cornwal. Fe glymodd e' gortyn wrthi rhag ofn y byddwn i'n ei llyncu hi.

Ond i fynd nôl at Dai Morris. Roedd Dai yn dipyn o heliwr hefyd ac yn ddyn dryll. Fe fyddai e' bob amser yn gwisgo britsh a legins. Un diwrnod dyma Ianto Rowlands y bwtsiwr yn mynd at Dai gyda'i gi Labrador ac yn ceisio argyhoeddi Dai fod ganddo gi arbennig iawn wedi'i hyfforddi fel ci dryll.

'Towla rywbeth iddo fe mewn i'r olchfa fanna i ni gael ei weld e'n mynd,' medde Dai.

Fe daflodd Ianto ddarn o bren i'r olchfa a gweiddi *'Fetch!'* Ond wnaeth y ci ddim symud.

'Wel bachan,' medde Ianto'n siomedig, 'be' wna i ag e'?'

'Cer ag e' adre,' medde Dai, 'a thowla'r pren mewn i'w badell laeth e'. Falle wnaiff e' fynd mewn i honno.'

Fe fyddwn i'n mynd i'r gwahanol dreialon cŵn defaid yn y car gyda Wil Baigent, Tŷ Cam a D. C. Morgan, Yr Esgair. I D. C. Morgan, oedd yn fwtsiwr lleol, mae'r diolch 'mod i wedi dechrau ymhyfrydu a dysgu gwahanol gŵn oherwydd ei fod ef, bwtsiwr Llangwrddon, yn gystadleuydd cryf ei hunan. Roedd e'n ddyn roedd gen i feddwl mawr ohono.

Mae'r diddordeb yn dal ymhlith ei deulu, ei fab Idris Bancllyn a mab hwnnw, Eirian, neu Bwtsh, sydd fel ei daid yn gigydd. Ac erbyn hyn mae mab hwnnw, sy'n cynrychioli'r bedwaredd genhedlaeth, er ei fod e'n dal yn yr ysgol fach, wedi cydio yn y gamp. A finne yn dal yn ffrindiau mynwesol â nhw.

Mae cŵn defaid yn bwysig i fi. Does dim byd yn rhoi mwy o bleser i fi ar ôl bod allan yn ffilmio neu yn ymwneud â digwyddiadau cyhoeddus pan mae 'na ryw densiwn yn y sbring. Os nad oes yna densiwn ar y sbring dydych chi ddim yn gwneud eich gwaith yn iawn. Mor hyfryd yw cael rhyddhad a dod adre ac anghofio.

Fe ges i'r cyfle i fynd i gystadleuaeth ryngwladol y treialon cŵn defaid am y tro cyntaf pan oedd hi yng Nghaerdydd yn 1959. Fe wnaeth Cymru'n dda iawn yno fel mae'n digwydd. Mynd lawr yno gyda'r diweddar annwyl John Henry Jones a Trefor Evans, Penlan, Llanfihangel-y-Creuddyn, yntau hefyd wedi'n gadael erbyn hyn. Hen grwt tua 14 neu 15 oed own i, a hynny fis Medi cyn i fi adael yr ysgol.

Ar gwrs rasio Trelái roedd y bencampwriaeth yn cael ei chynnal. Mynd lawr gyda John Henry yn yr *Austin 16*, clobyn o gar. Gyda ni roedd pymtheg galwyn o ddŵr a dau ddwsin o wyau. Roedd y *radiator* yn gollwng. Y feddyginiaeth bryd hynny oedd torri ŵy a'i roi yn y *radiator* os oedd e'n gollwng. Fe gymerodd hi bymtheg awr i fynd lawr i Gaerdydd, awr am bob galwyn o ddŵr. Stopio bob hyn a hyn i dorri ŵy a'i arllwys e' lawr gyda'r dŵr. A T. C. Evans yn gwneud dim byd ond gwenu. Roedden ni wedi gorffen yr wyau erbyn i ni gyrraedd Caerdydd.

Ar ôl cyrraedd Caerdydd rwy'n cofio John Henry yn dod i stop ynghanol y ddinas er mwyn gofyn i rywun lle'r oedd y lodjins. Roedd drysau car John Henry, yn wahanol i geir heddiw, yn agor allan am yn ôl. Defnyddiol iawn petai'r brêcs yn pallu. Dim ond agor y drysau ac fe fyddai'r gwynt yn dal y car nôl.

'Ble ydyn ni'n mynd i barcio?' medde John Henry.

'Diawl,' medde fi, 'parciwch e'n ddigon pell oddi wrth y ceir eraill. Mae e' wedi llyncu dau ddwsin o wyau ac mae e' siŵr o fod yn dipyn o dderyn erbyn hyn.'

Ar y bore dydd Sadwrn cyn mynd i'r ffeinal roedd yn rhaid mynd i'r siop i brynu wyau. Yna llenwi'r *radiator* gyda wyau a phymtheg galwyn o ddŵr erbyn y bore wedyn. Ac rwy'n cofio, wrth ddod adre o Gaerdydd, fe ddisgynnodd niwl tuag ardal Llanymddyfri. Fe aeth John Henry druan ar goll. Roedd hynny'n golygu fy mod innau hefyd ar goll. Wyddwn i ddim ble roedden ni.

O dipyn i beth fe wnaethon ni ddal i fyny â char oedd â rhif EJ rhywbeth neu'i gilydd. Roedd yn rhaid ei fod e'n cael ei yrru'n araf iawn os medren ni ddal fyny ag e'.

'Diawch,' medde John Henry, 'rydyn ni wedi bod yn lwcus. Car o Sir Aberteifi. Mae hwn siŵr o fod yn mynd nôl i Lambed o leiaf.'

Dyma ddilyn y car nid yn unig ar hyd y ffordd fawr ond i gartre'r gyrrwr ac i mewn y tu ôl iddo fe i'r garej. Roedd y gyrrwr yn crynu fel deilen pan ddaeth e' allan a gweld y clobyn mawr o gar 'ma oedd wedi'i ddilyn e'. Roedd e' siŵr o fod yn meddwl fod lladron pen ffordd ar ei warthaf. Ond roedden ni'n lwcus. Roedd e'n byw yn Llanwrda, a doedd hi fawr o ffordd o'r fan honno i Lambed ac ymlaen adre.

Yr enillydd yng Nghaerdydd, gyda llaw, oedd Meirion Jones o Bwll-glas, Rhuthun gyda'i gi Ben. Ifor Hatfield, dyn glo o Bresatyn yn ennill y dyblau, a'r diweddar Bill Miles o Dreharris yn ennill y dreifio. Mae'n rhaid fod gen i hyd yn oed bryd hynny, yn grwt ifanc, ddiddordeb mawr neu fyddwn i ddim yn dal i gofio'r achlysur mor dda.

Fe ddechreuais i ddilyn y treialon wedyn a chystadlu

gyda Prince. Fe fu Prince yn hen ffrind annwyl oedd gen i wrth fy ngwaith bob dydd am rai blynyddoedd. O dipyn i beth fe ddechreuais i ddod i adnabod yr enwau mawr ym myd y cŵn, John Evans, Magor, Herbert Worthington o'r Fenni, Thomas Bryn-mawr, Dai Daniels, Ystradgynlais a'i fab Eirwyn, Cornelius o Ogwr. Fe fydden nhw'n dod i dreialon Llangwrddon o'r pellterau. O'r Gogledd wedyn fe fyddai John Jones, Trawsfynydd ac Alan Jones yn dod, Selwyn Jones wedyn. Fe allwn i fynd ymlaen am byth.

Fe arweiniodd fy niddordeb mewn eisteddfodau at fwlch cymharol hir mewn rhedeg cŵn ond ar ôl ennill y Rhuban Glas fe deimlais i fod arna i angen rhyw hobi neu'i gilydd. Fe brynais ast fach gan ewythr y wraig, Ocky Davies o Aberhonddu. Un o fois Tregaron yn wreiddiol. Enw'r ast oedd Jill, a hi wnaeth ailddechrau'r diddordeb. Fe ddechreuais gael hwyl arni. Wedyn fe ges i Meg gan Alan Jones am ganu mewn noson lawen ac yn raddol fe ddechreuais i ledu fy adenydd a mynd i rai o'r treialon.

Un o'r treialon cyntaf i fi gystadlu ynddo ar ôl ailgydio yn y grefft oedd hwnnw yng Nghaerwedros. Fel roedd hi'n digwydd roedd y mabolgampau lleol yn cael eu cynnal ar yr un noson. Roedd torf sylweddol iawn wedi ymgynnull yno, a dyma'r dyn ar y corn siarad yn cyhoeddi mai fi oedd y cystadleuydd nesaf.

'Dai Jones Llanilar yw'r nesaf,' medde fe. 'Ry'ch chi i gyd yn gyfarwydd â'i weld e' ar Siôn a Siân ac yn canu drwy Gymru gyfan.'

Dew, fe ddaeth y dorf i gyd draw. Doedd neb ar ôl yn y mabolgampau. Wel, fe wnaeth hynny fi'n nerfus. Mae e'n brofiad rhyfedd. Petai tri chan mil o bobol o 'mlaen i mewn cyngerdd fe wnawn i eu hwynebu nhw heb unrhyw broblem. Ond gyda dim ond tua thri chant y tu ôl i fi mewn treialon cŵn defaid fe fydda i'n crynu fel deilen. Wn i ddim pam. Am fy mod i'n dibynnu cymaint ar y ci, hwyrach. Moss oedd fy nghi, wedi'i brynu gan Alan Jones am £650. Hen gi mawr du oedd e' a doedd e' ddim yn perfformio mor dda ag yr hoffwn i. Doedd dim dal be' wnâi e'. Ond roedd pawb yn disgwyl yn eiddgar i weld sut hwyl gawn i gyda Moss.

Rwy'n cofio mynd ag e' at y polyn a'i yrru fe bant. A beth wnaeth y diawl ond neidio'n syth i mewn drwy ffenest car y beirniad. Papurau hwnnw'n chwalu i bobman. Y beirniad yn gweiddi a'r hen Moss yn gwylltio ac yn piso dros sbectol y dyn. Welais i erioed y fath beth. A'r dorf yn eu dyblau. Petawn i wedi rhoi mil o bunnau iddyn nhw, 'tawn i wedi dweud y jôc orau erioed, wnaen nhw ddim chwerthin mwy.

Fe ddaeth Moss allan o dipyn i beth, ond nid cyn iddo fe orffen piso, ac fe'i gyrrais e' bant eto. Fe gafodd rediad da wedyn ond enillodd e'r un wobr. Roedd yr hen greadur wedi torri'i garictor cyn cychwyn.

Mae'r cyfeillion mae rhywun yn eu cyfarfod ymysg bois y cŵn yn bobol wreiddiol iawn. Fe fydda i wrth fy modd yn eu cwmni. Ers pum mlynedd ar hugain bellach rwy wedi cael fy ethol yn un o bymtheg cyfarwyddwr y Gymdeithas Cŵn Defaid. Rwy ar fy nhrydydd tymor ar y Cyngor ac erbyn hyn wedi cael y fraint a'r anrhydedd o fod yn Llywydd Cymru. Mae gan bob un o'r pedair gwlad ei Llywydd sy'n teyrnasu am bedair blynedd ac ar hyn o bryd rwy ar ganol fy nhymor.

Fe fu'r ail flwyddyn yn flwyddyn galed gan i fi orfod talu teyrnged yn angladdau tri o hoelion wyth y Gymdeithas heb sôn am ymdrin â phroblemau sy'n codi gydag unigolion. Ond wedi dweud hynny mae'r cyfan yn bleser. Rwy'n dal i redeg cŵn ac yn mynd i'r Treialon Rhyngwladol bob blwyddyn. Yn 1997 roedd e'n achlysur hanesyddol gan fod y Bencampwriaeth Ryngwladol yn cael ei chynnal yn Iwerddon.

Ond y cymeriadau sy'n creu'r hwyl. Y diweddar gymeriadau yw'r rhan fwyaf ohonyn nhw erbyn hyn, yn anffodus. Rhaid sôn am D. C. Morgan eto. Rwy'n cofio mynd draw ar y beic i'r Esgair a D.C. yn dangos i fi sut roedd trafod ci. Yna, wrth gychwyn adre ar y beic, D.C. yn fy rhybuddio i gadw'r ci yn dynn rhyngof i a'r clawdd.

'Beth?' medde fi, 'Bob cam adre?'

'Bob cam adre. Os wnaiff e' anelu at ddod yr ochr allan i ti, stopia fe a rho fe nôl rhyngot ti a'r clawdd. Fan hynny mae e' i fod.'

Oedd, roedd D.C. yn dipyn o fistir.

Un o'r pethe diddorol wrth ymhel â'r cŵn oedd ein bod ni'n mynd fyny i'r Alban â rhai o'r geist at y cŵn gorau. Mae rhai o'r tripiau hynny yn aros yn y cof. Dyna i chi Bwtsh, ŵyr D.C. Mae gan Bwtsh rhyw lais braidd yn wichlyd ond dyn penderfynol iawn lle mae cŵn yn y cwestiwn. Dyma fe'n fy ffonio i un nos Wener.

'Be' ti'n wneud fory?'

'Dim llawer o ddim byd. Pam?'

'Dere lan gyda fi i Gaeredin â'r ast at y ci.'

Fe gytunais.

Fe fydda i'n cau'r siop tua hanner awr wedi tri,' medde Bwtsh. 'Wedyn fe awn ni.'

Roedd gan Bwtsh globyn o *Rover V8 3.5 Vitesse*. Clamp o gar. Dyma roi'r ast yn y gist a chychwyn tua phedwar. Ymlaen â ni. Stopio wedyn i gael bwyd yn Charnock Richard ar yr M6. Roedd e'n pregethu o hyd fod angen *plugs* a *points* ar y car. Roedd e'n cwyno nad oedd 'na ddim llawer o fynd yn y *Rover*. Diawch, roedd y car yn mynd yn iawn gan hitio'r cant yn reit aml ond doedd e' ddim digon cyflym i Bwtsh.

Phil oedd enw'r hen ast a doedd hi ddim wedi gwneud strocen o waith yn ei dydd. Roedd e' wedi'i phrynu hi am ei bod hi'n ast o frîd. Meddwl oedd e' y medrai e' fridio rhai da allan ohoni. A chwarae teg, fe gafodd nifer o rai da allan ohoni. Ond doedd hi'n dda i ddim o ran ei rhedeg. Roedd hi'n fwy o ast anwes na dim byd arall.

Beth bynnag, dyma ni'n cychwyn o Charnock Richard fel roedd hi'n llwydnosi ac fe ddwedais i wrth Bwtsh am fod yn wyliadwrus gan fod car heddlu wedi'i barcio gerllaw'r draffordd, car bach fflat, cyflym yr olwg.

'Paid becso,' medde fe, 'mae e'n sefyll.'

'Uffarn,' medde fi, 'paid â mentro gormod.'

Yn sydyn dyma'r car yn tynnu allan y tu ôl i ni fel mellten. A nawr roedd Bwtsh mewn cyfyng gyngor, arafu neu roi'i droed lawr a'i heglu hi. Ond fy nghyngor i oedd iddo fe arafu.

Fe basiodd car yr heddlu a rhoi arwydd i ni stopio. Un heddwas oedd yn y car ac allan ag e'.

'*In a hurry, gentlemen?*' medde'r heddwas.

'Diawl, *not really,*' medde Bwtsh. '*She only came on heat last week. They usually last a fortnight.*'

'*What do you mean, heat?*'

'*Oh, sorry,*' medde Bwtsh, '*we've got a bitch in the boot and we're taking her up to Scotland to mate her. There's no hurry. She won't go off for another week.*'

'*The way you were speeding, you'd think she wouldn't last till tomorrow morning.*'

Roedd rhyw wên fach ar wyneb y plismon erbyn hyn.

'Well, the way you passed me back there, you almost blew me out of my car.'

A Bwtsh yn ateb, 'Diawl, you should wear a seat-belt.'

Y canlyniad fu i'r plismon ddweud nad oedd ganddo fe ddewis ond bwcio Bwtsh gan iddo fe'i ddal ar y radar. Dyna lle'r own i yn rhyw esgus edrych ar yr olygfa o gwmpas tra oedd ceir yn gwibio heibio i ni fel mellt. A Bwtsh yn y cyfamser yn cyfeirio at y gwahanol geir a thaeru eu bod nhw'n teithio'n llawer cyflymach nag oedd e'.

Fe ofynnodd y plismon nawr am enw Bwtsh, ac yntau'n ateb, 'David Eirian Morgan.'

'Good God, how do you spell the latter part of that?'

A dyma Bwtsh yn gweld ei gyfle. 'Are you sure you want to book me? Because if you have difficulty with my name, you'll never be able to write my address down.'

Fe lwyddodd y plismon, gyda fy nghymorth i, gyda'r enw. A dyma fe'n gofyn am y cyfeiriad. Fe saethodd Bwtsh y geiriau allan fel ergydion o wn.

'Bancllyn, Bontnewydd, Blaenpennal, Tregaron.'

Fe grafodd y plismon ei ben yn ddryslyd. 'My God,' medde fe, 'you must have a very educated postman.'

A dyma Bwtsh yn rhwygo'r llyfr nodiadau o law'r plismon ac yn ysgrifennu'r cyfeiriad ar ran hwnnw.

Dyma'r plismon yn gofyn yn reit gyfeillgar erbyn hyn, 'What do you do for a living?'

'I'm a butcher,' medde Bwtsh. 'What do you do?'

Fe ddymunodd y plismon bob lwc i ni gyda rhybudd i Bwtsh yrru'n arafach. Ac fe ofynnodd iddo, petai'r ast yn cael cŵn bach, i yrru cerdyn iddo fe.

Beth bynnag, ymlaen â ni am Gaeredin at ddyn o'r enw Dick Fortune. Enw'r ci oedd Fortune's Glen. Gŵr wedi dod nôl i'r Alban ar ôl treulio bron y cyfan o'i oes yn Seland Newydd oedd Dick. Fe oedd un o handlwyr cŵn defaid gorau'r byd, dyn oedd tua 80 mlwydd oed ac yn briod â merch ymron hanner can mlynedd yn iau nag e'. A honno'n fodel o ferch. Wel, fe gawson ni groeso tywysogaidd gydag e' ac fe roddodd arddangosiad ar drin cŵn defaid i ni gerllaw ei gartref. Fe werthais i ast, Meg, iddo fe am £600 ar gyfer prynwr yn America yn ddiweddarach.

Wel, fe gafodd gast Bwtsh gi a dyma ni'n paratoi i adael gan fwriadu aros yn rhywle dros nos ar y ffordd adre. Ond dyma Dick yn ein gwahodd ni i aros gydag e'. A dyna be' wnaethon ni. Fe ddwedodd y caen ni ei stafell e' a'i wraig gan esbonio fod dau wely sengl yno. Fe aeth ymlaen i ddweud y gwnâi e', am y noson honno, gysgu gyda'i wraig.

'It's up to you,' medde fi. *'But if you like, I'll sleep with her and you can sleep with Bwtsh.*

Chwerthin wnaeth e'. Fe gawson ni lond bol o wisgi wedyn ar yr aelwyd, ac yna, bant â ni i'r gwely. Roedd gast Bwtsh wedi'i gadael allan yn y sied a honno wedi'i chloi. Fe neidiodd Bwtsh i'r gwely a rhoi plwc rhy sydyn i'r cortyn oedd yn diffodd y golau. Fe dynnodd yn union fel petai e'n tynnu rhaff ac fe dorrodd y cortyn. Nawr roedd yn rhaid cyrraedd y gorchudd dan y nenfwd er mwyn ailosod y cortyn nôl yn ei le. Fe osododd un pen i'r cortyn yn ei geg a'i gnoi er mwyn gwneud blaen main ond wrth ei wthio nôl i'w le fe gyffyrddodd â weiren ac fe gafodd y sioc fwyaf uffernol. A dyma floedd.

Fe waeddodd Dick o'r stafell nesa yn gofyn beth oedd yn bod. Roedden ni'n chwerthin gormod i ateb. Dyna lle'r oedd Bwtsh yn pwyso allan drwy'r ffenest ac yn chwerthin nes ei fod e'n dost. A'r peth mwyaf doniol oedd iddo gael cymaint o sioc, roedd bochau ei din e'n chware. Mae Bwtsh yn ddyn blewog iawn ac roedd y trydan wedi cael cymaint o effaith fel bod blew ei gefn yn symud yn union fel petai awel yn chwythu drwy lwyn gwsberis.

Fe lwyddwyd i fendio'r golau ond wrth i fi fynd i gysgu dyma Bwtsh yn dechrau chwerthin eto. Finne'n gofyn beth oedd yn bod.

'Meddylia,' medde fe, 'mae cŵn gorau Prydain allan fanna yn rhydd tra mae 'ngast i, sy' heb wneud diawl o ddim erioed, o dan glo rhag ofn i rywun ei dwyn hi.'

Wel, fe fuon ni'n chwerthin drwy'r nos.

Dro arall fe aeth Bwtsh a fi a'r un ast eto fyny i'r Alban, i Dunoon yn Swydd Argyle. Dechrau'n hwyr a theithio drwy'r nos gan fwriadu aros yn ardal Lockerbie. Ond fe aeth hi'n rhy hwyr i ni gael lle yn unman a dyma Bwtsh yn awgrymu cysgu yn y car wrth ymyl y ffordd. A dyna wnaethon ni, ar yr A73. Gyda'r ast yn y gist rown i'n gorfod cadw'r ffenest ar agor i gael gwared ar ei hoglau hi.

'Diawl, Bwtsh,' medde fi, 'pwy fydde wedi meddwl y bydde'r ddau ohonon ni yn cysgu gyda gast ar ymyl yr A73?'

Wel, dyma chwerthin. A phan fydd Bwtsh yn chwerthin dyw hi ddim yn saff eistedd wrth ei ymyl. Pan fydd e'n chwerthin yn ei siop mae e'n dyrnu'r cownter nes bod y cyllyll yn dawnsio i bobman.

Fe gysgon ni drwy'r nos a chyrraedd yr ochr draw i Glasgow erbyn tua pedwar o'r gloch. Roedd y fferi'n gadael am chwech.

'Dew, ry'n ni'n rhy gynnar,' medde Bwtsh. Doedd yr un lle ar agor i gael paned a dyna lle'r oedden ni'n slwmbran cysgu. Dyma fi'n dweud wrtho fe am roi'r ast allan am ei bod hi'n drewi gymaint. Fe wnaeth hynny a'i chlymu hi wrth y ffender flaen a mynd i gysgu. Fe ddylai Bwtsh ddiolch i Dduw am i fi ddigwydd dihuno. Beth oedd yn chwarae gyda'r ast ond clobyn o Labrador du.

O ran diawlineb fe fu bron i mi adael i'r Labrador gael ei ffordd gyda'r ast. Ond fe wnes i ddihuno Bwtsh. Pan welodd e'r ci fe neidiodd allan. Roedd y gwregys diogelwch yn dal amdano ac fe ddisgynnodd a'i hanner allan o'r car. Fe lwyddais, ar ôl cryn ymdrech, i'w ryddhau. A dyna lle'r oedd e'n erlid y ci gan daflu cerrig ato.

Pan gyrhaeddon ni'r fferi, ni oedd ar flaen y ciw. Doedd Bwtsh, nawr, ddim yn siŵr beth i'w wneud. Dyma esbonio y byddai drysau blaen y llong yn agor er mwyn iddo yrru'r car i mewn. Dyma fe i mewn i gêr, a diolch byth fod y drws y pen arall ynghau neu fe fyddai e' wedi gyrru'n syth i'r dŵr yr ochr draw.

Roedd toilet a lle i ymolchi ar y fferi ac fe gymerais i fantais o'r cyfle i daflu dŵr dros fy wyneb a rhyw grafu'r blew i ffwrdd â rasel. Prin weld fy llun own i mewn rhyw ddarn bach o fetel lliw arian uwchben y toilet wrth siafio. Allan â fi a dyma Bwtsh yn gofyn am gael benthyg y rasel a'r sebon. Ond pan ddaeth e' allan roedd pawb ar y cwch yn chwerthin. Welais i erioed y fath olwg ar ddyn. Fe allech dyngu fod yr IRA wedi ffrwydro bom wrth ei ymyl. Roedd hanner y rholyn papur toilet wedi'i dorri'n ddarnau a'r darnau hynny wedi'u gosod dros y briwiau ar ei wyneb. A lle nad oedd papur, roedd blew. Yr unig fannau lle nad oedd briwiau oedd y mannau oedd e' wedi'u methu â'r rasel.

'Arglwydd mawr, Bwtsh,' medde fi, 'cer i folchyd neu fe fyddan nhw'n meddwl fod clefyd arnat ti.'

Allan â ni yn Dunoon, pentre bach hyfryd a rhes o westai bach. Golygfeydd hyfryd i bob cyfeiriad.

'Meddylia mor lwcus ydyn ni,' medde Bwtsh. 'Cael dod â'r ast at y ci i le mor brydferth.'

Dyma ni i mewn i westy ac archebu brecwast gan ddanfon Bwtsh i'r stafell ymolchi i gael trefn ar ei hunan. Fe orffennodd yr hyn ddechreuodd e' ar y fferi. Llond bol o frecwast wedyn ac ymlaen at Stuart Davidson a'i gi, Ben. Croeso mawr ac ail frecwast. Roedd fy mol i fel tant y delyn.

Doedd y ci ddim yno felly fe fu'n rhaid i ni deithio ymhellach eto, taith debyg iawn i honno o Dregaron i Abergwesyn. Roedd hi'n daith y byddech chi'n fodlon talu arian da amdani ar y *Switch-back* yn ffair wagedd Y Rhyl. Rhwng y ddau frecwast roedd bacwn a sosejys y ddau le yn pasio'i gilydd. Ar ôl cyrraedd rown i'n teimlo Bwtsh, oedd yn eistedd yn y canol, yn gwthio yn fy erbyn. Fe neidiais i allan a dyma Bwtsh yn dilyn gan chwydu heibio 'nghlust chwith i.

Taith i'w chofio oedd honno. Gadael Aberystwyth am bump o'r gloch ar nos Sadwrn a chyrraedd adre erbyn swper nos Sul am chwarter wedi naw. Wel, fe gafodd yr ast gi ac fe roddodd enedigaeth i wyth o gŵn bach.

Ie, Bwtsh, un o'r cymeriadau mawr. Pen moel fel *Mint Imperial*, llais uchel a bob amser yn gwisgo bresus. Hyd yn oed petai e'n gwisgo'r siwt ddrutaf yn y dre fe fyddai'n rhaid gwisgo bresus, a'r rheiny'n rhai coch. A phan wela i'r rheiny fe fydda i'n gofyn iddo, p'un yw'r *live* a ph'un yw'r *earth*.

Hyd yn oed mewn angladd, ac yntau yn ei siwt ddu

orau, mae'n rhaid gwisgo bresus *post office red* a'r rheiny
fel belts injan tshaffo. Cymeriad anfarwol.

Heb amheuaeth, un o'r cymeriadau mwyaf o fyd y cŵn
defaid oedd yr hen gyfaill a gollwyd yn gynharach eleni,
Ifan James, neu Ianto Henbant. Nid yn unig roedd e'n
gymeriad ond yn gystadleuydd penigamp hefyd.

Roedd treialon wedi cychwyn yng Nghaer Belan ger
Caernarfon. Roedd hi'n ras gŵn fawr gyda thri chae yn
mynd ar yr un pryd ar yr hen faes awyr a chystadleuwyr
o bob rhan o Brydain. Roedd yr hen Ifan braidd yn dynn
ei frest ac roedd car wedi'i barcio gerllaw, car tramor.
Dyna lle'r oedd Ifan yn pwyso ar y car i gael hoe ac yn
darllen y gwahanol arwyddion oedd ar y car. Fe ddaeth
perchennog y car, menyw, allan a dechrau siarad ag e'.
Fe esboniodd y fenyw ei bod hi'n dod o'r Iseldiroedd ac
fe ddechreuodd y ddau sgwrsio. Dyma Ianto'n gofyn beth
oedd pris petrol yn ei gwlad hi.

'Oh, in the region of one-and-a-half guilder per litre,'
medde hi.

'O, diawl,' medde Ifan, 'about the same as around here,
then.'

Rwy'n siŵr nad oedd Ifan yn gwybod y gwahaniaeth
rhwng *guilder* a *litre*. Ond roedd e'n ateb da.

Dim ond milltir a hanner cywir o'n fferm ni yw
Henbant ac rwy'n cofio mynd â'r ast at y ci yno un noson
adeg y Nadolig. Roedd gen i dri gorchwyl y noson honno,
nôl y twrci i Ffosbontbren, nôl presant Olwen i Rod-mad,
lle'r oedd perchennog siop ddillad yn Aberystwyth yn
byw, a mynd â'r ast at y ci yn Henbant.

Fe ddechreuais i gyda'r dasg bwysicaf, mynd â'r ast
at y ci. Gadael y tŷ tua hanner awr wedi saith. Yna mynd

â phresant i Sal yn Cilcwm ar y ffordd a chael potel o wisgi yn bresant gan honno.

'Diawl,' medde Ifan yn Henbant, 'dydw i ddim wedi cael diod y Nadolig yma. Rwy wedi bod yn rhy fisi i fynd mas.'

Dyma ddweud fod gen i botel o wisgi yn y car. Doedd e' ddim am fynd i'r tŷ ar y pryd ond doedd ganddon ni ddim gwydrau. Yna fe gofiodd fod ganddo fe stwff i'w roi ar gefnau gwartheg i ladd Robin y Gyrrwr a bod cwpanau plastig yn dod gyda'r stwff.

'Diawl, fe iwswn ni'r rheiny,' medde Ifan.

Pan adewais i roedd Ifan yn eistedd ym mowlen ddŵr y gwartheg a'r botel dros ei hanner yn wag. Fe gofiais am y twrci ond fe anghofiais bresant Olwen. Fe fu'n rhaid aros tan y bore cyn nôl hwnnw.

Mynd â gast arall at y ci wedyn yn Henbant. Ci da oedd hwnnw, Lad. Roedd pawb yn adnabod Lad. Roedd e'n llawn gymaint cymeriad ag Ianto. Rown i wedi holi ar y ffôn a allwn i fynd fyny â'r ast.

'Dere lan nawr, yn strêt ar unwaith. Dere gloi. Wela i di nawr.'

Fe adewais y tŷ tua hanner awr wedi wyth y bore ond ddes i ddim adre tan hanner awr wedi wyth y noson honno. Dim ond Ifan oedd gartre ac roedd e' newydd ddod nôl o dreialon cŵn defaid yn Iwerddon ac wedi cael potel fawr o wisgi *Paddy*.

'Dere mewn. Gad yr ast am funud a dere mewn. Diawl, welest ti botel fel hon o'r blaen? Yffarn, bron bod isie *planning* i ddod â hon nôl.'

A dyma ymosod ar y botel. Nawr, mae wisgi *Paddy*, a dyfynnu Ifan, mae ei smel e'n gwneud i chi deimlo'n gartrefol. Fe yfon y botel gyfan, potel litr. Dim bwyd drwy'r dydd, dim ond wisgi. Fe es adre â'r ast, yn dal heb gael ci, yng nghefn y *Land Rover*.

Nôl â fi ddydd Llun ac Ifan yno yn fy rhybuddio rhag dweud dim am y wisgi. Roedd Ifan wedi bod yn y dre i brynu potel o *Grouse* a'i dywallt i mewn i'r botel *Paddy* oedd yn wag. Ac wrth arllwys paned o de i fi dyma Mrs James yn dweud wrth ei gŵr, 'Ifan, rhowch ddiferyn o'r wisgi Iwerddon 'na i Dai.'

Petai hi ond yn gwybod.

A dyna pam rwy yn y busnes cŵn defaid yma. Y cymeriadau sy'n denu, pobol fel Alan Jones, Selwyn Jones, Bwtsh a Charles Arch. Charles fydd rheolwr y cwrs yn y treialon cenedlaethol pan ddôn nhw i Sir Aberteifi y flwyddyn nesaf.

Mae'r cŵn defaid wedi rhoi modd i fyw i fi. Dyma fy hobi i a'r unig gamp, ar wahân i wylio tenis, sy'n apelio ata i. Eto i gyd, yr unig dro rwy wedi teimlo'n wirioneddol nerfus o flaen camera oedd pan ffilmiwyd treialon fyny yn Sir Gaernarfon ar gyfer rhaglen deledu a finne yn gapten Cymru. Fe ddanfonais y ci bant ond fe fethais yn lân â chofio'i enw ac fe aeth popeth yn llanast llwyr. Ymhlith pethe eraill fe neidiodd ar ei ben i'r afon gan drochi un o'r dynion camera a'i gamera.

Mae'r ci hynaf sydd gen i nawr, Mal, yn ddeg oed, un o'r cŵn gorau fu gen i erioed. Ei gael e'n anrheg wnes i gan ffrind, Aled Jarman o Lanbryn-mair. Rown i newydd fod yn ffilmio Mal Edwards y porthmon ar gyfer Cefn Gwlad ac oherwydd hynny a'r ffaith fod y ci yn dod o Faldwyn fe'i bedyddiais e'n Mal. Mae e' wedi dod ag aml i gwpan i fi, ac mae e'n gi fferm da. Yn fwy na dim, mae e'n ffrind.

Yn ddiweddar fe ddaeth braint fawr i fy rhan i — cael fy newis yn aelod o dîm treialon cŵn defaid Cymru. Fe ga i nawr gynrychioli fy ngwlad, fi a'r hen Mal. A dyna freuddwyd fawr arall wedi'i gwireddu.

Pan fydda i ar daith yma ac acw fe fydda i'n meddwl yn aml am y cŵn. Pan fydd pethe'n ddiflas, atyn nhw fydda i wastad yn troi fy meddwl. Mae'r hen gŵn yn agos iawn at fy nghalon i.

Fy ngofid mawr i yw gweld colli hen gymeriadau cylchdaith y treialon. Mae 'na rai ar ôl, diolch i Dduw, pobol fel Alan Jones a Selwyn Jones. Evans Blaenglowon wedyn. Fe fûm i'n Is-lywydd pan oedd Evans yn Llywydd ac fe ddysgais i lawer gydag e'. Roedd e' ym Mhonterwyd yn ddiweddar, y cyntaf i redeg cŵn am saith o'r gloch y bore ac yntau yn 86 mlwydd oed.

Y peth mwyaf am dreialon cŵn defaid i fi yw eu bod nhw'n cael eu cynnal ymhob Llan yng Nghymru ac yn denu teips arbennig iawn. Fûm i erioed yng nghwmni pobol oedd yn medru tynnu coes yr un fath â nhw.

Ond diflannu maen nhw a does 'na ddim gormod o bobol ifanc yn dod yn eu lle. Ac eleni, fel Llywydd, fe ddaeth gorchwyl newydd a thrist i fi, talu teyrnged yn angladdau rhai o'r hen gymeriadau. Fe ddigwyddodd deirgwaith eleni, yn angladd Meirion Jones, Pwll-glas er enghraifft. Fe fu farw ar y cae adeg treialon. Bill Miles, Treharris wedyn. Mae rhai yn dweud i Bill lwyddo i brynu fferm ag enillion un o'i gŵn, Wali, nôl yn y pedwardegau. Wedyn fe wnes i dalu teyrnged yn angladd y diweddar annwyl Eirwyn Daniels, Ystradgynlais.

Er bod rhywun yn cael rhyw deimlad o golled, y mae 'na hefyd ymdeimlad o falchder fod y teuluoedd wedi gofyn i fi ddweud gair yn angladdau'r anwyliaid hyn. Mae meddwl amdanyn nhw yn rhoi rhyw ystyr newydd i eiriau emyn mawr Watcyn Wyn:

> Wedi'r holl dreialon,
> Wedi cario'r dydd;
> Cwrdd ar Fynydd Seion —
> O, mor felys fydd.

O Ben Talar

Er i fi fod yn llwyddiannus mewn sawl maes mae gen i un uchelgais ar ôl. Ydw, rwy wedi ennill y Rhuban Glas yn y Genedlaethol ac yn Llangollen, ennill pencampwriaeth y gwartheg Cymreig yn Sioe Nadolig Smithfield gan gipio Cwpan y Frenhines yn Llunden. Ac yn ddiweddar cael fy newis, gyda Mal y ci, i gynrychioli Cymru yn y treialon cŵn defaid rhyngwladol yn Iwerddon. Ond mae un freuddwyd heb ei gwireddu. Ennill pencampwriaeth y Gwartheg Duon yn Sioe Frenhinol Cymru â buwch neu darw rwy wedi'i fagu fy hunan.

O ran teithio fe wireddais freuddwyd arall y llynedd, sef mynd i'r Wladfa ym Mhatagonia. Ond o ddilyn y llwybr o Borth Madryn i Drelew ac o Drelew i'r Gaiman, er mor gartrefol own i'n teimlo, roedd y wlad yn anial. Dim ond yn Esquel mae 'na ychydig o fywyd. Rwy'n siŵr fod llawer o'r ymsefydlwyr cynnar wedi rhegi Michael D. Jones pan welson nhw'r fath le. Mae'n rhaid gen i fod dagrau yn eu llygaid a'u bod nhw am ddychwelyd i Gymru ar unwaith.

Fe fyddwn i wrth fy modd yn mynd yn ôl yno i wneud mwy o raglenni ar y Cymry sydd yno heddiw, hynny yw, y rhai sydd dros 65 oed. Mae 'na lawer o athrawon yn mynd allan i helpu i gadw'r iaith yn fyw ond fydd hi byth mor fyw ag y mae hi ymhlith y gweddill prin hynny. Mae arnon ni ddyled fawr iddyn nhw am gadw nid yn unig ein hiaith ni'n fyw ond hefyd ein traddodiadau ni. Roedd yna gymaint o hiraeth yn eu plith fel iddyn nhw, er enghraifft, gadw'r te traddodiadol. Mae mwy o dai te yno nag sydd o dafarnau. Mae'n bleser mynd i mewn i'r tai hyn a chael y te Cymreig traddodiadol, y jeli a'r treiffl, y bara a dau neu dri dewis o jam ac, wrth gwrs, y cacennau.

Ydw, rwy'n falch i fi gael y cyfle i fod yno. Ond fyddwn i ddim wedi bod yn hapus fel un o'r Cymry cyntaf i ymsefydlu yno.

Yn y cyfamser, dydw i ddim yn golygu newid llawer ar fy myd. Rwy'n falch o gael dweud fod gwaith teledu gen i tan y flwyddyn 2000. Dim ond gobeithio y ca i'r iechyd i barhau. Does arna i ddim awydd gwneud dim byd yn wahanol. Rwy wedi cael y fraint o droi ymysg pobol cefn gwlad Cymru. Yn y fan honno rydw i eisiau bod. A dyna pam na fedra i ddim cyflwyno'r gyfrol hon i neb ond i bobol Cymru am fy nerbyn i a rhoi cymaint o gyfle i fi.

Un peth na fydda i byth yn ei wneud yw agor y post. Does gen i ddim syniad sawl bil sy'n dod acw. Does gen i ddim syniad sawl siec sy'n dod acw chwaith. Dim ond gobeithio fod yna fwy o sieciau nag o filiau.

Dydi arian fel y cyfryw, os ydw i wedi gwneud fy ngwaith yn iawn, ddim yn golygu rhyw lawer. Fydda i byth yn cario llyfr siec ond rwy'n gredwr mawr yn y twll yn y wal. Rwy'n byw a bod yn hwnnw. Rwy wedi colli 'ngherdyn unwaith neu ddwy hefyd. Na, ar ôl rhyw waith ffilmio neu waith cyhoeddus arall, y cŵn defaid fydd yn mynd â 'mryd i.

Ond o ran gwaith teledu, fe fyddwn i'n dymuno ehangu rhyw gymaint a ffilmio mwy o bobol cefn gwlad Cymru sy'n byw dramor a'u cymharu nhw â phobol Cymru. Fe fydd hi'n hyfryd cael edrych, ymhen blynyddoedd, ar bobol ifanc oedd yn blant pan gychwynnais i ar Gefn Gwlad.

Rwy wedi bod yn ffodus cael bod ar deledu yn ddi-fwlch ers 1969. Felly, os bydda i fyw ac iach fe fydd 30 mlynedd wedi mynd heibio erbyn y flwyddyn 2000. Ac rwy'n meddwl fod hynny'n gyfnod digon hir o fywyd unrhyw un mewn unrhyw faes.

Erbyn heddiw mae gen i fuches o wartheg duon Cymreig. Honno yw'r brif fywoliaeth ynghyd â rhyw 1,000 o famogiaid hanner-brîd a defaid Cymreig. Rwy wrth fy modd yn ffermio gan gadw 'nhraed yn y tir. Dydw i ddim wedi difaru dim. Dim hyd yn oed gwrthod mynd i'r Eidal i dderbyn hyfforddiant canu.

Rwy wedi cael y fraint o gymysgu gyda phobol ardderchog ac wedi cael ffrindiau da. Mae'r Cymry wedi bod yn glên wrtha i, chwedl pobol Sir Drefaldwyn. Rwy'n hoff iawn o acen Sir Drefaldwyn. Er fy mod i'n Gardi rhonc, petai Duw yn fy nghodi i'r awyr a gofyn i fi ble hoffwn i iddo fe fy ngollwng i lawr, fe fyddwn i'n dewis Maldwyn. Mae gen i feddwl y byd o'r sir a'i phobol.

Enghraifft dda o'r bobol hynny yw Don Garreg Ddu, er mai ar erchwyn Sir Drefaldwyn mae e', patrwm o'r hyn ddylai'r Cymry fod. Yr unig beth sy'n cyfrif yn y byd amaethyddol heddiw yw cael ffarm a'i chael hi i dalu fesul yr erw. Ry'n ni wedi dilyn gormod o hynny. I'r hen genhedlaeth roedd codi teulu a chadw'r etifeddiaeth yn dod o flaen hynny. Rwy'n meddwl y dylen ni droi ychydig yn fwy mewn cymdeithas. Mae'r mewnlifiad yn gwanhau'n cymdeithasau gwledig ni.

Un peth yr hoffwn i fod, a dydw i ddim yn dweud hyn yn hunanol, fyddai bod yn fardd. Fe fydda i'n rhyfeddu

at y bobol hyn sy'n medru rhoi geiriau gyda'i gilydd. Oddi
wrth feirdd y derbyniais i rai o deyrngedau gorau fy
mywyd. Pan wnes i fy record gyntaf fe gyfansoddodd y
Prifardd R. Bryn Williams englyn ar gyfer y clawr.

> Un pur ei lais fel pêr li, — un â dawn
>   Dewinol artistri;
>   Daw o'i enaid hud inni,
>   O'i gân wych daw ein gwên ni.

Pan own i'n ddathlu'r hanner cant fe ofynnodd Marian
Hughes i Myrddin ap Dafydd lunio cywydd i nodi'r
achlysur, ac mae e'n glamp o gywydd.

> Gyda'i berffiwm o hiwmor
> a'i stomp o storïau'n stôr
> a'i angerdd wrth gael dengawr
> ym myd rhyw gymeriad mawr,
> Dai a wŷr ryw fyd arall
> hanner cant ond chwarter call.

> Wrth dân neu ym mhorth ei dŷ
> neu'n fudur mewn hen feudy,
> ar faes sioe, ar faes ei ŵyl,
> myn hwn berfformio'n annwyl.
> Ei ofyn sy'n gartrefol
> A'i ddiawlio iach sy'n ddi-lol.

> Plygiad prydferth ar berthi,
> aredig cae, rhedeg ci;
> cymhennu maes, cwmni mwyn,
> a geni oen y gwanwyn —
> y bythol, bythol bethau,
> mae o'n wir yn eu mwynhau.

I un stowt, crwn iawn ei stans,
helbulus ddiawl yw balans,
a'i wendid ydyw landio
ar ei gefn fel pry o'i go;
Yn ŵr dewr yr eira a'r dŵr
mae Dai yn gomedïwr.

Dawn a cherdyn a Chardi,
a chob mwya' a welwch chi;
heno'r corff sy'n hanner cant
ond ei wenau dywynnant.
Swig weddus o wisgi iddo
a gwynt hir hyd ei gant o.

Rwy'n trysori teyrngedau fel hyn yn fawr iawn ac mae
gen i fwndel ohonyn nhw erbyn hyn. Cyfansoddwyd rhai
ar gyfer digwyddiadau arbennig fel y noson Gŵyl Ddewi
a dreuliais yng nghwmni Côr Merched Ceulan. J. R.
Jones, yr eisteddfodwr pybyr a'r adroddwr mawr wnaeth
gyfansoddi penillion i nodi'r achlysur hwnnw.

Gŵyr pobun ledled daear
Am gampau Dai Llanilar,
Ein cawr Cefn Gwlad, cwmnïwr llawn
Heb drai i'w ddawn a'i glebar.

Diddanu, dyna'i elfen
(Ond sgïwr go anniben)
Tra heb ei ail ar lwyfan bro
I lywio noson lawen.

Yn ffefryn gwlad y bryniau,
Mawrygwn ei aml ddoniau;
Parhaed ei wên a'i barabl ffri
I lonni ein calonnau.

Mae fy nyled i'n fawr i lawer o bobol, ond mae 'na ddau berson yn arbennig y mae fy nyled i'n enfawr iddyn nhw, ar wahân i Olwen, y wraig a John, y mab, wrth gwrs. Pan fo rhywun yn gofyn i fi, 'Dim ond un plentyn sy' gyda chi, Dai?', rwy'n ateb, 'Ie, fe gollais i'r risêt.'

Mae Olwen a John wedi bod yn gefn mawr i fi. A theulu Olwen hefyd. Ei brawd yn sefyll mewn yn aml petai raid i fi fynd i rywle neu'i gilydd. Fethais i ddim mynd erioed, diolch i'r rhain ac i'r bechgyn sydd wedi gweithio i fi ar hyd y blynyddoedd. Oni bai am y bobol hyn fe fyddai'n amhosibl i fi fod wedi gwneud yr hyn ydw i wedi'i wneud.

Ond fe hoffwn i enwi dau arall yn arbennig, yn un peth am i fi fod gyda nhw gyhyd. Un ohonyn nhw yw Geraint Rees, cyfarwyddwr Cefn Gwlad. Un mlynedd ar bymtheg o gydweithio hapus er ein bod ni'n hollol wahanol ein ffordd. Rwy i'n wyllt ac yn blaen; mae Geraint yn amyneddgar braf.

Y llall yw Marian Hughes, y PA, neu'r cynorthwy-ydd cynhyrchu. Mae hi'n ddelfrydol ar gyfer y gwaith. Mae hi'n deall sut mae pobol y wlad yn gweithio. Mae hi'n gwybod beth maen nhw'n ei feddwl a gwybod hefyd sut mae eu trafod nhw. Mae hynny mor bwysig ym myd y cyfryngau.

Ry'n ni wedi gweld newid, ond dyna fe. Mae'r bardd wedi canu am y 'newid ddaeth o rod i rod'. Ond gobeithio ga i iechyd i fynd ymlaen.

Mae un peth arall y medra i ei ddweud â'm llaw ar fy nghalon: rwy wedi gwneud cannoedd o gyngherddau a nosweithiau llawen, beirniadu hyn ac arall, siarad, arwain cymanfa, pob peth dros Gymru gyfan, ond wnes i erioed gymryd tâl am berfformio yn fy sir fy hun. Ac rwy'n gobeithio'n fawr iawn y bydda i'n medru dal i ddweud hynny ar derfyn fy ngyrfa. Petawn i'n meddwl i fi godi tâl ar yr hen Gardis am fy meithrinfa, wel, fedrwn i ddim cysgu'n dawel.

O blith holl wledydd y byd y ces i'r fraint o ymweld â nhw, petawn i'n cael cyfle i fynd nôl i fwynhau am bythefnos neu dair wythnos y dewis fyddai mynd nôl i Kenya. Nôl i'r bywyd gwyllt ar y Masai Mara a'r Serengeti ac at y bobol dduon y mae gen i gymaint o barch iddyn nhw. Maen nhw'n bobol annwyl, yn bobol sy'n meddu ar gof, a bob amser yn barod i helpu.

Cyn cloi rhaid talu teyrnged i Glwb Ffermwyr Ifanc Llangwrddon. Braint fu cael bod yn ŵr gwadd pan ddathlodd y Clwb ei hanner cant dro'n ôl. Wrth iddi fy nghyflwyno fe lwyddodd Beti Davies, Tynddraenen i grynhoi rhediad fy mywyd yn rhyfeddol ar gân. Wna i ddim dyfynnu'r cyfan ond dyma ran o'i theyrnged.

> Pa le a pha fodd y dechreuaf
> Roi hanes cymeriad fel Dai?
> Mae rhestru ei waith yn ddiddiwedd
> A'i helynt a'i hwyl yn ddi-drai.
>
> Ac er mai Dai Jones o Lanilar
> Yw ei enw fel seren y byd,
> Mae'i wreiddiau ym mro Llangwyryfon,
> Ie, ni biau Dafydd o hyd.
>
> I'r wlad y daeth Dai o'r Brifddinas,
> A Threfor, ei frawd, gydag e'
> At ewyrth a modryb Ty'n Cefen —
> Roedd Dai yn ei seithfed ne'.

Er mor ifanc yr oedd e' bryd hynny
Roedd ei anian yn ddwfn yn y pridd,
A'i ewythr, Moc, ar ei orau
Yn ceisio ei ddysgu bob dydd.

Ond jiw, wir i chi, roedd hi'n jobin
I gadw'r hen grwt dan gontrôl;
Cyn bod Moc wedi symud ei sodlau
Byddai Dai wedi mynd a dod nôl.

Fe gerddodd i ysgol y pentre
Ac i Dabor i'r Ysgol Sul;
Roedd dawn gyda hwn wnâi bregethwr,
Ond roedd yr hen lwybr rhy gul.

Bu'n aelod yn Nglwb Llangwyryfon,
Yn ganwr a chymeriad bro;
Os byddai drygioni yn rhywle
Byddai Dai wrth ei wreiddyn bob tro.

Fe'i gwelid yn gyson yn myned
Ym mwynder y bore iach
I weled y praidd ar y poni ddu
Wrth odre y Mynydd Bach.

Roedd Dai wedi'i eni'n gymeriad,
Digrifwr a hanner, yn wir;
Does siaradwr mo'i debyg yn unman,
Er nad yw pob stori yn wir.

Mae dau beth yn feistr ar Dafydd,
Er ei fod e' yn dipyn o ddyn,
Mae'n ofni gweld cath am ei fywyd,
Ac yn ofni y nos yn ei din.

Pan dderfydd 'rhen Ddai deithio'r ddaear
Fe fydd canu'r tu arall i'r dŵr;
Ac os fyth bydd coron cymeriad,
Wel Dai wnaiff ei gwisgo, rwy'n siŵr.

A phan ddaw'r alwad olaf un fy nymuniad i fydd cael
mynd yn ôl i Langwrddon a chael gorffwys gyda rhai o'r
cymeriadau mwyaf a gwrddais i erioed, y cymeriadau
hynny fu'n gyfrifol am y stamp a osodwyd arna i. Fy
ewyrth Morgan yn eu plith. Fe glywa i ei lais e'n aml iawn
pan fydda i'n llusgo 'nhraed. Anfarwol.

'Nawr 'te, 'machgen i. Blewyn iddi, swing i'r fraich 'na
a gwynt i'r gesail.'